A-Z BURTON UP

CONTENTS

Key to Map Pages	2-3
Map Pages	4-35
Index to Streets and selected Places of Interest	36-48

REFERENCE

A Road	A38
Under Construction	
B Road	B5008
Dual Carriageway	
One-way Street Traffic flow on A Roads is indicated by a heavy line on the driver's left.	→
Restricted Access	
Pedestrianized Road	
Track	
Footpath	
Residential Walkway	
Railway	Station, Level Crossing, Tunnel
Built-up Area	HIGH STREET
Local Authority Boundary	
Postcode Boundary	
Map Continuation	16

Car Park (selected)	P
Church or Chapel	†
Fire Station	■
Hospital	H
House Numbers A & B Roads only	57 44
Information Centre	i
National Grid Reference	320
Police Station	▲
Post Office	★
Toilet with facilities for the disabled	
Educational Establishment	
Hospital or Hospice	
Industrial Building	
Leisure or Recreational Facility	
Place of Interest	
Public Building	
Shopping Centre or Market	
Other Selected Buildings	

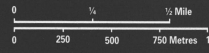

Scale
1:19,000

3 ⅓ inches (8.47 cm) to 1 mile
5.26 cm to 1km

Geographers' A-Z Map Company Ltd.

Head Office:
Fairfield Road, Borough Green, Sevenoaks, Kent TN15 8PP
Telephone: 01732 781000 (General Enquiries & Trade Sales)
Showrooms:
44 Gray's Inn Road, London WC1X 8HX
Telephone: 020 7440 9500 (Retail Sales)
www.a-zmaps.co.uk

This map is based upon Ordnance Survey mapping with the permission of The Controller of Her Majesty's Stationery Office.

© Crown Copyright Licence number 399000. All rights reserved.

EDITION 2 2000

Copyright © Geographers' A-Z Map Company Ltd. 2000

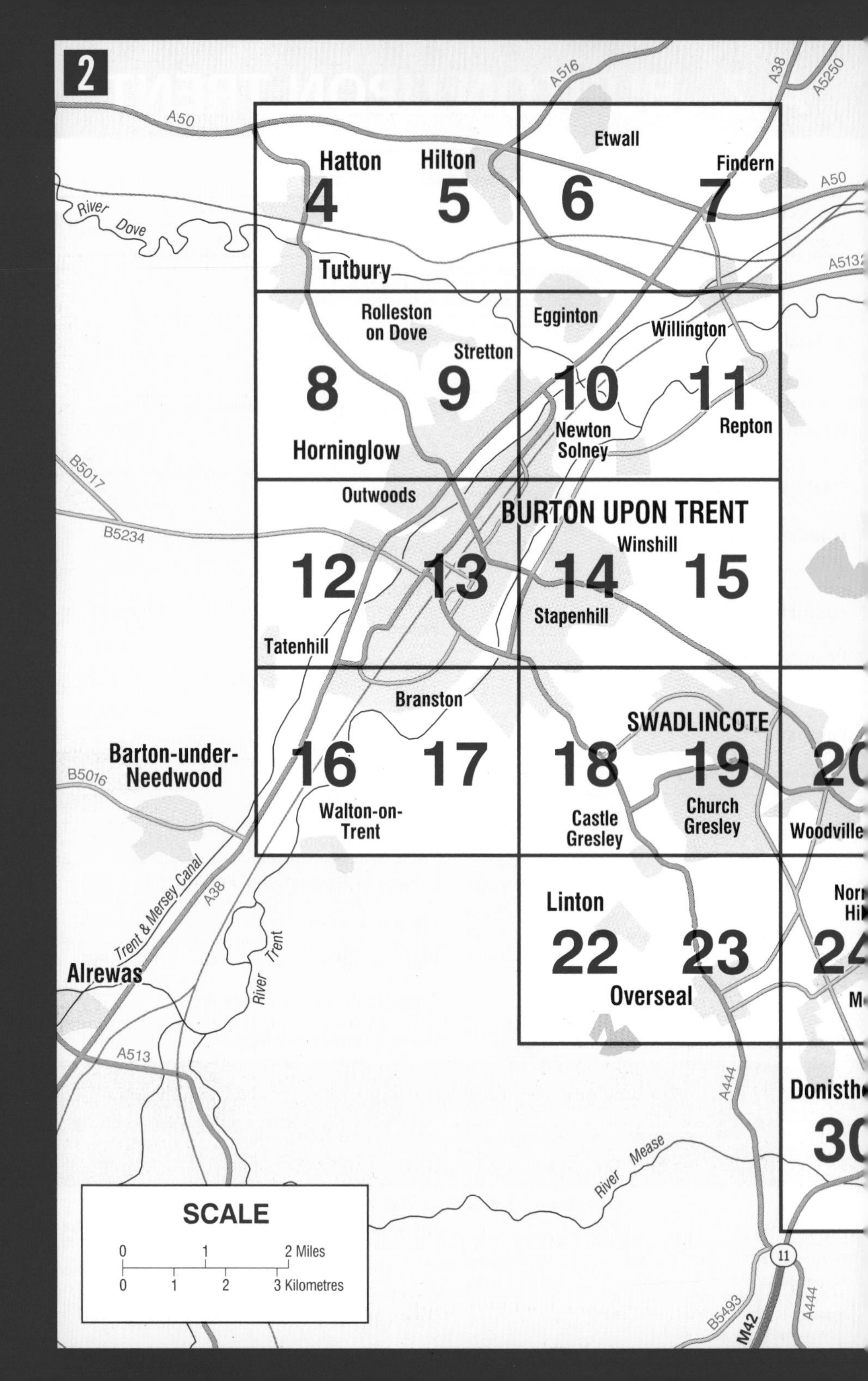
A516
A38
A5250
A50
Etwall
Hatton
Hilton
Findern
4
5
6
7
River Dove
Tutbury
A5132
Rolleston on Dove
Egginton
Willington
Stretton
8
9
10
11
Newton Solney
Repton
Horninglow
B5017
Outwoods
BURTON UPON TRENT
B5234
Winshill
12
13
14
15
Stapenhill
Tatenhill
Branston
SWADLINCOTE
Barton-under-Needwood
16
17
18
19
B5016
Walton-on-Trent
Castle Gresley
Church Gresley
Woodville
Trent & Mersey Canal
A38
Linton
22
23
River Trent
Alrewas
Overseal
A513
A444
Donisth
River Mease
SCALE
0
1
2 Miles
0
1
2
3 Kilometres
11
B5493
M42
A444

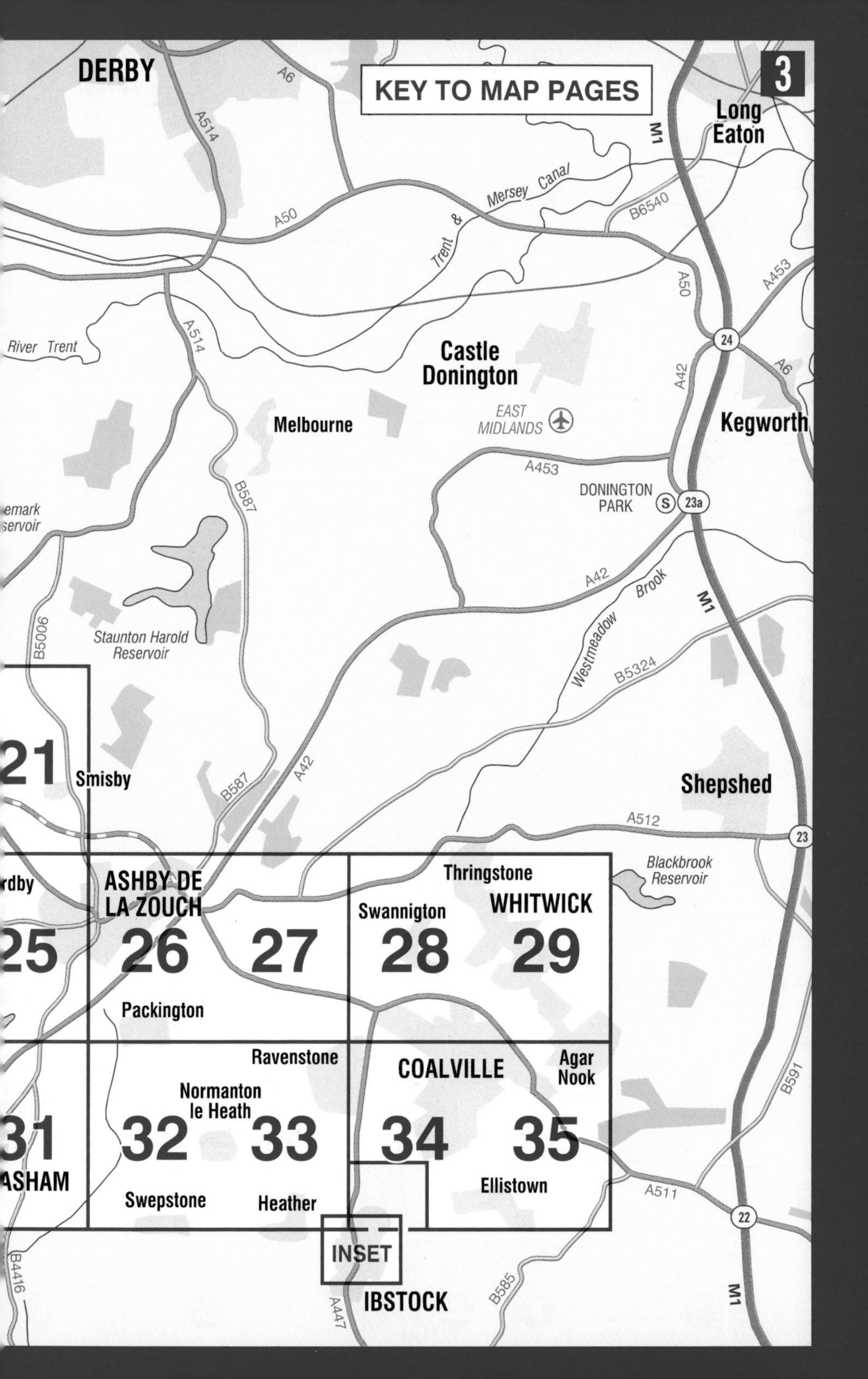

KEY TO MAP PAGES

3

DERBY

Long Eaton

A6

A514

A50

Mersey Canal

Trent &

B6540

M1

A50

A453

A42

A6

24

Castle Donington

River Trent

A514

Melbourne

EAST MIDLANDS ✈

Kegworth

A453

B587

emark servoir

DONINGTON PARK ⓢ 23a

Staunton Harold Reservoir

A42

Brook

Westmeadow

M1

B5324

B5006

A42

Shepshed

21

Smisby

B587

A512

23

Blackbrook Reservoir

rdby

ASHBY DE LA ZOUCH

Thringstone

WHITWICK

Swannington

25

26

27

28

29

Packington

B591

Ravenstone

COALVILLE

Agar Nook

31

Normanton le Heath

32

33

34

35

ASHAM

Swepstone

Heather

Ellistown

A511

22

INSET

M1

IBSTOCK

B585

A447

B4416

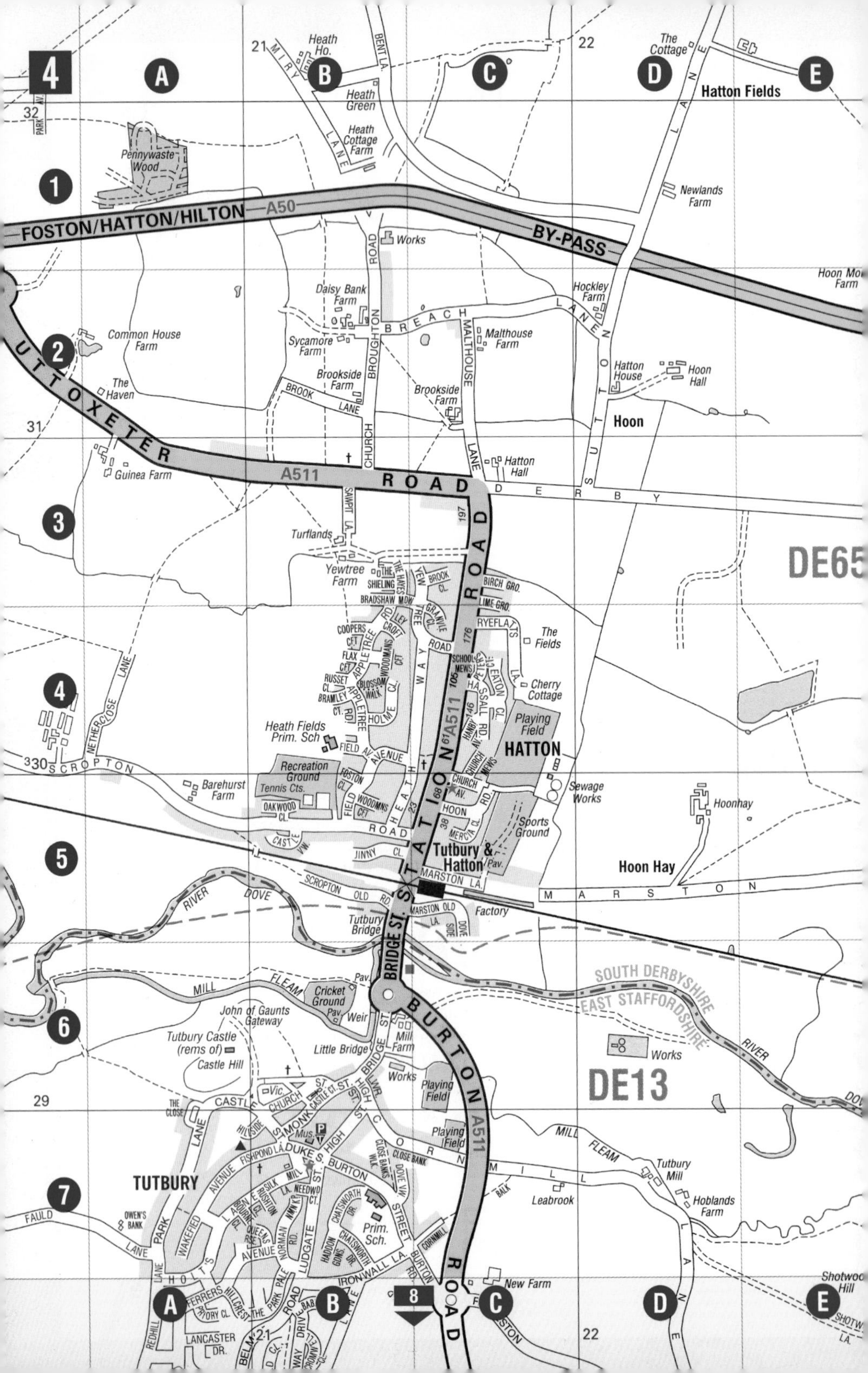
4
Heath Ho.
Heath Green
Heath Cottage Farm
MIRY LANE
BENT LA.
The Cottage
Hatton Fields
Pennywaste Wood
PARK AV.
Newlands Farm
FOSTON/HATTON/HILTON
A50
BY-PASS
Works
Hoon Mount Farm
Daisy Bank Farm
Hockley Farm
BREACH LANE
Common House Farm
Sycamore Farm
Malthouse Farm
BROUGHTON ROAD
MALTHOUSE LANE
Brookside Farm
Hatton House
Hoon Hall
The Haven
BROOK LANE
Hoon
UTTOXETER ROAD
CHURCH
Hatton Hall
SUTTON LANE
Guinea Farm
A511
ROAD
DERBY
SAWPIT LA.
Turflands
STATION ROAD
DE65
Yewtree Farm
THE SHIELING
BRADSHAW MDW
BIRCH GRO.
LIME GRO.
RYEFLATTS
The Fields
Cherry Cottage
COOPERS CFT
FLAX CFT
RUSSET CL.
BRAMLEY CT.
APPLETREE RD.
BLOSSOM WALK
WOODMANS CFT
HOLME
NETHERCLOSE LANE
Heath Fields Prim. Sch
Playing Field
HATTON
SCROPTON
Recreation Ground
Tennis Cts.
FIELD AV.
AVENUE
FOSTON CL
OAKWOOD CL.
WOODMANS CFT
HEATH ROAD
Barehurst Farm
Sewage Works
Hoonhay
CASTLE VW.
JINNY CL.
HOON
MERCIA CL.
Sports Ground
Tutbury & Hatton
Pav.
Hoon Hay
MARSTON LA.
MARSTON
SCROPTON OLD RD.
RIVER DOVE
MARSTON OLD LA.
DOVE SIDE
Factory
Tutbury Bridge
BRIDGE ST.
SOUTH DERBYSHIRE
EAST STAFFORDSHIRE
MILL FLEAM
Cricket Ground
Pav.
Weir
BURTON ROAD
John of Gaunts Gateway
Tutbury Castle (rems of)
Castle Hill
Little Bridge
Mill Farm
Works
RIVER
Works
Playing Field
DE13
DOVE
THE CLOSE
CASTLE
CHURCH ST.
HIGH ST.
Vic.
MONK ST.
Mus.
P
DUKE ST.
CORNMILL LANE
Playing Field
MILL FLEAM
Tutbury Mill
Leabrook
Hoblands Farm
TUTBURY
FISHPOND LA.
HILLSIDE
AVENUE
WAKEFIELD
PARK LANE
BURTON STREET
CLOSE BANK
DOVE VW.
NEEDWOOD CT.
CHATSWORTH DR.
Prim. Sch.
FAULD LANE
OWEN'S BANK
QUEENS RISE
NORMAN RD.
LUDGATE
HADDON GDNS.
HOLT'S LANE
IRONWALL LA.
CORNHILL
New Farm
Shotwood Hill
FERRERS
HILLCREST
PRIORY CL.
THE PARK PALE
LANCASTER DR.
REDHILL LANE
ROAD
8
FOSTON
SHOTWOOD LA.
A B C D E
1 2 3 4 5 6 7
21 22 29 30 31 32

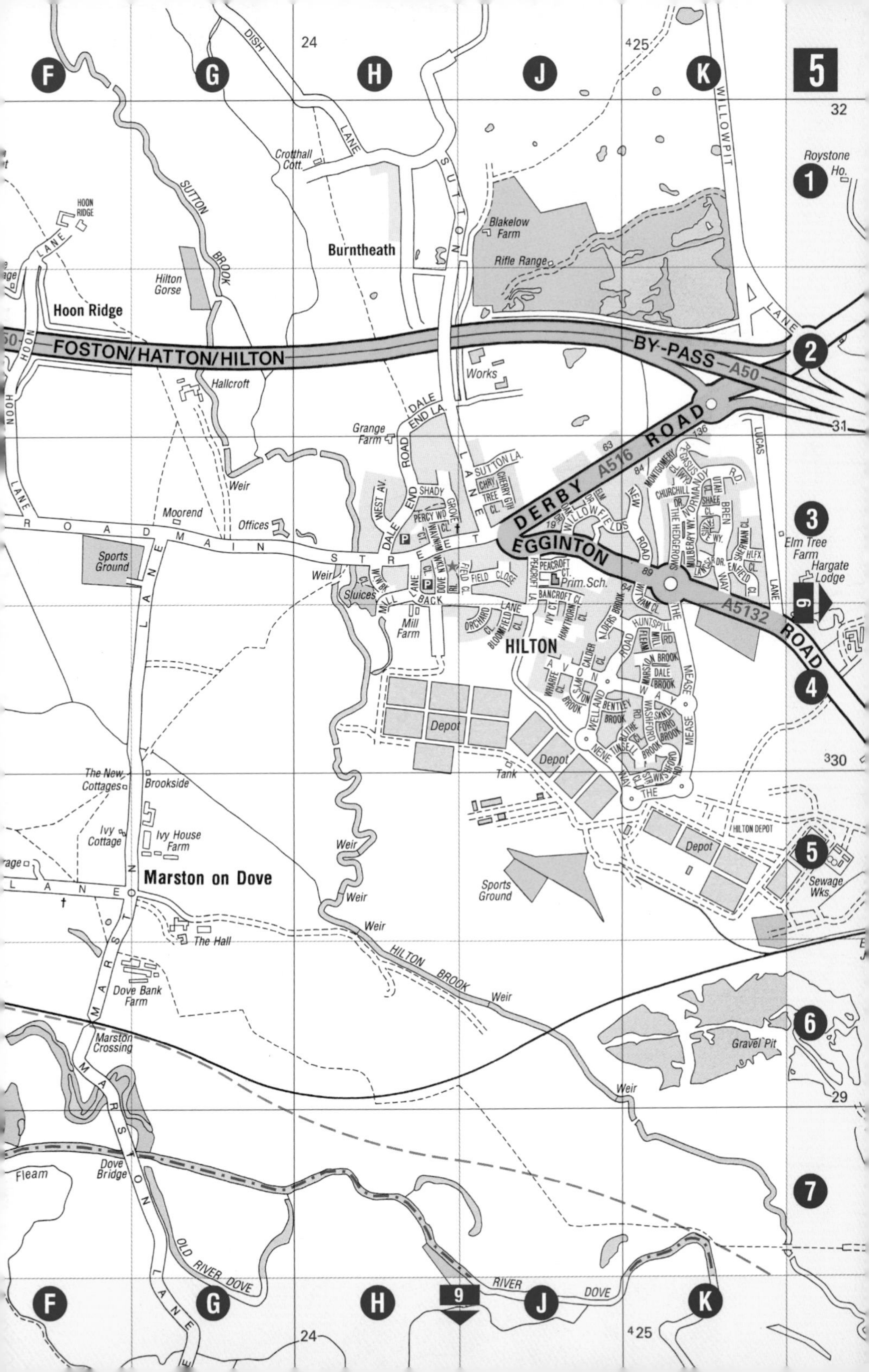

Burntheath
Hoon Ridge
FOSTON/HATTON/HILTON BY-PASS A50
DERBY ROAD A516
EGGINTON ROAD A5132
HILTON
Marston on Dove
Hilton Gorse
Blakelow Farm
Rifle Range
Works
Grange Farm
Hallcroft
Moorend
Offices
Sports Ground
Sluices
Mill Farm
Depot
Tank
Prim.Sch.
The New Cottages
Brookside
Ivy Cottage
Ivy House Farm
The Hall
Dove Bank Farm
Marston Crossing
Dove Bridge
Fleam
Gravel Pit
Sewage Wks.
Roystone Ho.
Elm Tree Farm
Hargate Lodge
HILTON DEPOT
HILTON BROOK
OLD RIVER DOVE
RIVER DOVE
MAIN STREET
MARSTON LANE
SUTTON LANE
SUTTON BROOK
DISH LANE
WILLOWPIT LANE
LUCAS LANE
HOON LANE
Crotthall Cott.
Weir

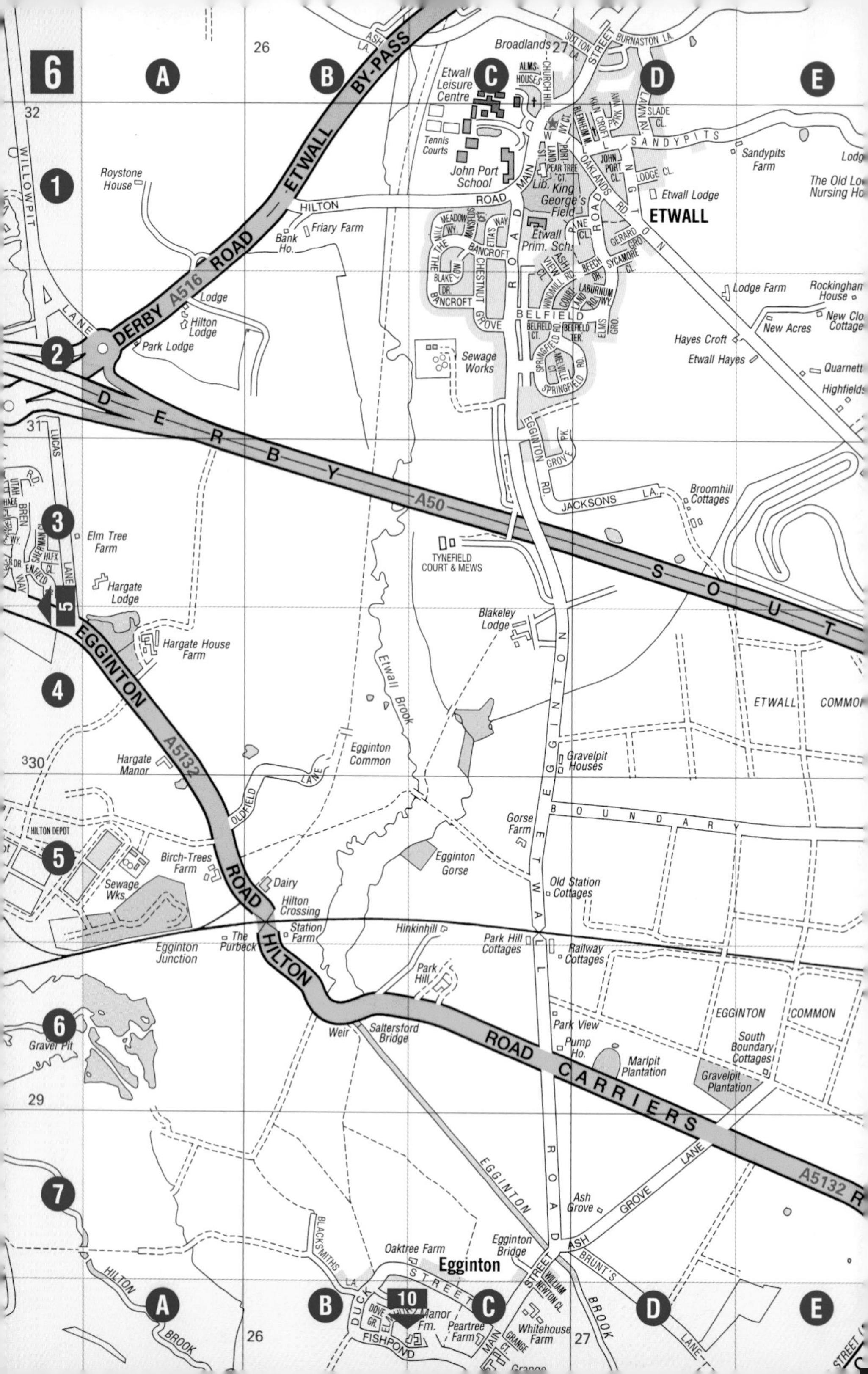
6
A
B
C
D
E
1
2
3
4
5
6
7
26
27
32
31
30
29
ETWALL BY-PASS
DERBY ROAD A516
HILTON ROAD
Roystone House
Friary Farm
Bank Ho.
Lodge
Hilton Lodge
Park Lodge
WILLOWPIT LANE
LUCAS LANE
Elm Tree Farm
Hargate Lodge
Hargate House Farm
DERBY SOUTH
A50
Broadlands
SUTTON LA.
BURNASTON LA.
ASH LA.
CHURCH HILL
ALMS-HOUSES
Etwall Leisure Centre
Tennis Courts
John Port School
Lib.
King George's Field
Etwall Prim. Schs.
MAIN ROAD
SANDYPITS
Sandypits Farm
SLADE CL.
LAWN AV.
PARK WAY
KILN CROFT
BLENHEIM M.
JOHN PORT CL.
LODGE CL.
Etwall Lodge
ETWALL
The Old Lodge Nursing Home
OAKLANDS RD.
GERARD GRO.
SYCAMORE CL.
BEECH DR.
LABURNUM WY.
ASH VIEW CL.
WINDMILL RD.
PINE CL.
PEAR TREE CT.
MEADOW WY.
MANSFIELDS CT.
ETTA'S WAY
THE MILL
THE BLAKE
BLAKE DR.
BANCROFT
CHESTNUT GROVE
BELFIELD
BELFIELD CT.
BELFIELD TER.
ELMS GRO.
SPRINGFIELD RD.
MELVILLE CT.
Lodge Farm
Rockingham House
New Acres
New Close Cottage
Hayes Croft
Etwall Hayes
Quarnett
Highfields
Sewage Works
EGGINTON RD.
GROVE PK.
JACKSONS LA.
Broomhill Cottages
TYNEFIELD COURT & MEWS
Blakeley Lodge
EGGINTON ROAD A5132
Etwall Brook
ETWALL COMMON
Egginton Common
Hargate Manor
OLDFIELD LANE
Gravelpit Houses
BOUNDARY
Gorse Farm
HILTON DEPOT
Birch-Trees Farm
Sewage Wks.
Dairy
Hilton Crossing
Egginton Gorse
Old Station Cottages
Station Farm
Hinkinhill
Park Hill Cottages
Railway Cottages
The Purbeck
Egginton Junction
HILTON ROAD
Park Hill
EGGINTON COMMON
Park View
Weir
Saltersford Bridge
Pump Ho.
Marlpit Plantation
South Boundary Cottages
Gravelpit Plantation
Gravel Pit
ROAD CARRIERS A5132
ETWALL ROAD
GROVE LANE
Ash Grove
EGGINTON
BLACKSMITHS LA.
Oaktree Farm
Egginton Bridge
Egginton
ASH STREET
BRUNT'S LANE
WILLIAM NEWTON CL.
HILTON BROOK
DUCK STREET
DOVE GR.
ELM
10
Manor Fm.
Peartree Farm
Whitehouse Farm
FISHPOND
MAIN
GRANGE CT.
BROOK
Grange

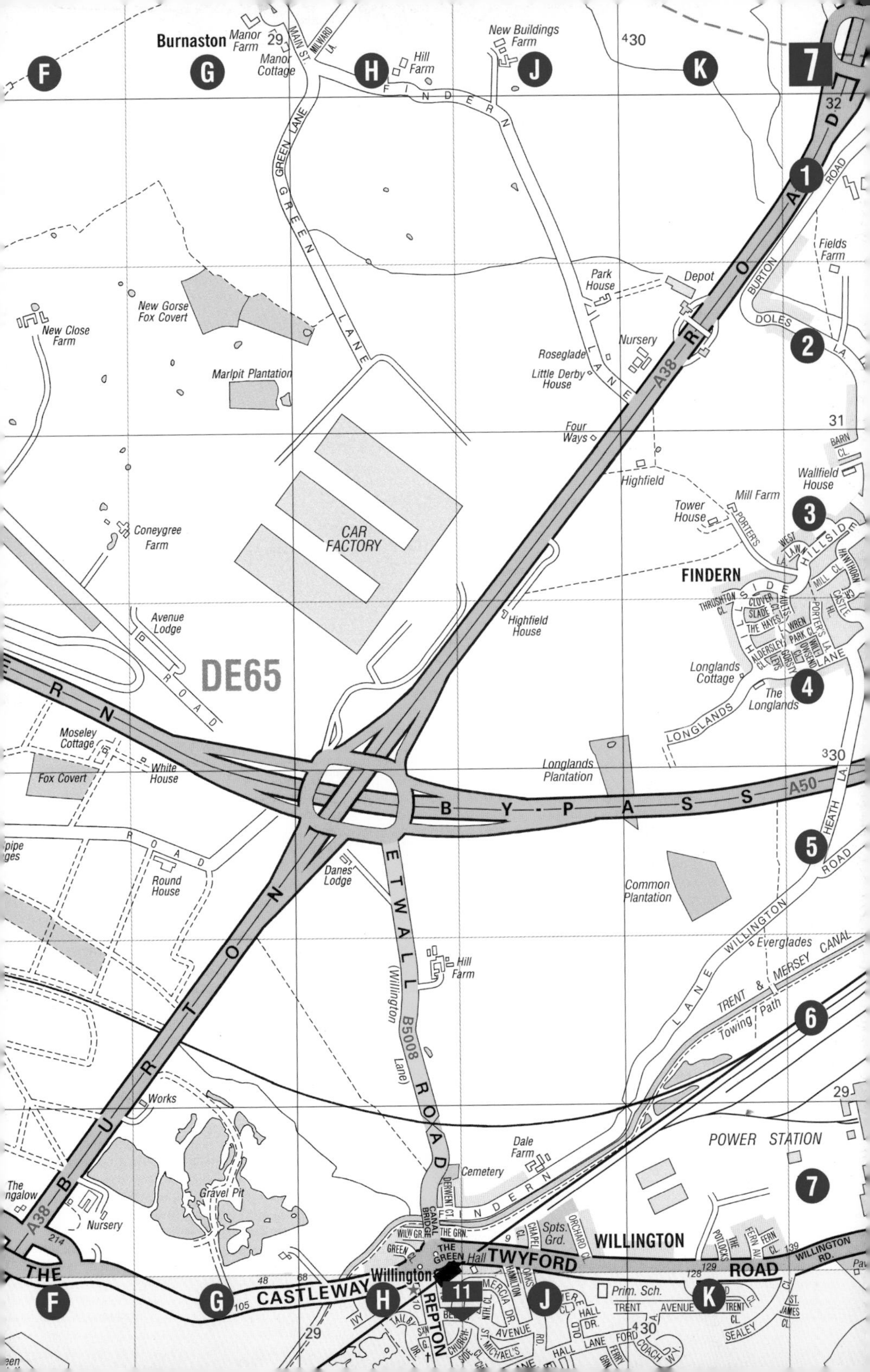

Burnaston
Manor Farm
Manor Cottage
MAIN ST.
MILWARD LA.
Hill Farm
New Buildings Farm
FINDERN LANE
GREEN LANE
A38 BURTON ROAD
BURTON ROAD
DOLES LA.
Fields Farm
Park House
Depot
Nursery
Roseglade
Little Derby House
Four Ways
Highfield
Barn Cl.
Wallfield House
Mill Farm
Tower House
PORTERS LA.
WEST LAWN
HILLSIDE
HAWTHORN
MILL CL.
CASTLE HL.
FINDERN
THRUSHTON CL.
CLOVER
SLADE CL.
THE HAYES CL.
WREN
PARK CL.
ALDERSLEYS CL.
PORTERS LANE
Longlands Cottage
The Longlands
LONGLANDS
New Gorse Fox Covert
New Close Farm
Marlpit Plantation
CAR FACTORY
Coneygree Farm
Avenue Lodge
ROAD
DE65
Highfield House
Moseley Cottage
Fox Covert
White House
ROAD
Round House
Longlands Plantation
BY-PASS A50
HEATH LA.
Danes Lodge
ETWALL ROAD
(Willington Lane)
B5008
Hill Farm
Common Plantation
WILLINGTON ROAD
LANE
Everglades
TRENT & MERSEY CANAL
Towing Path
Works
Gravel Pit
The Bungalow
Nursery
Dale Farm
Cemetery
POWER STATION
FINDERN LANE
DERWENT CT.
CANAL BRIDGE
THE GRN.
Spts. Grd.
ORCHARD CL.
CHAPEL CL.
WILLINGTON
POTLOCKS
THE FERN AV.
FERN CL.
WILLINGTON RD.
TWYFORD ROAD
THE GREEN
Hall
GREEN CL.
Willington
HAMILTON
OAKS
MERCIA DR.
Prim. Sch.
TRENT AVENUE
TRENT CL.
SEALEY CL.
ST. JAMES CL.
THE CASTLEWAY
REPTON
AVENUE
HALL DR.
HALL LANE
FORD
COACH WY.
FERRY
ST. MICHAEL'S
CHURCHSIDE
IVY
TAILBY DR.
NTH. CL.
RD.
F
G
H
J
K
1
2
3
4
5
6
7
11
29
430
32
31
330
29
214
48
68
105
70
129
128
139
29
430

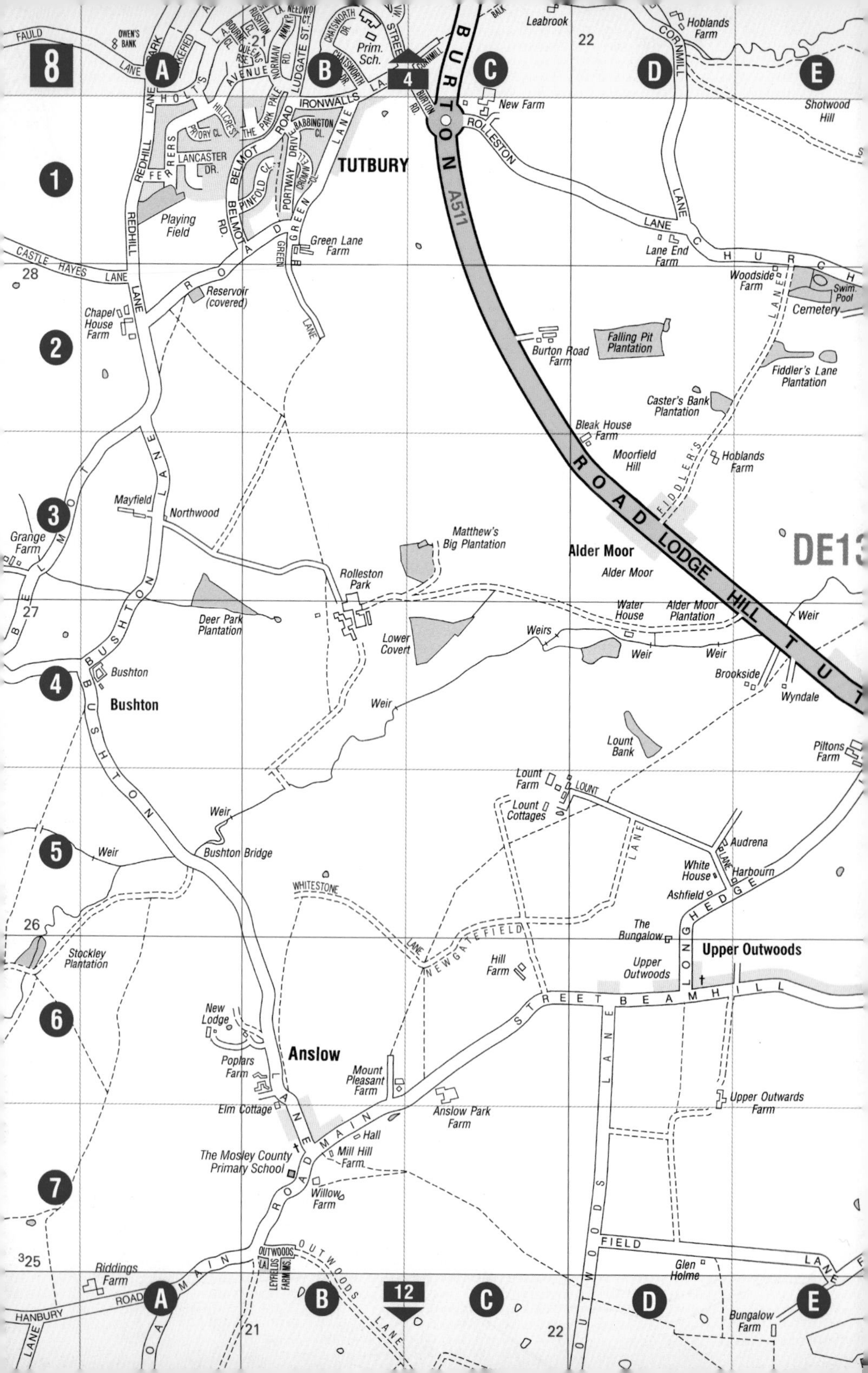

TUTBURY
Playing Field
Green Lane Farm
Reservoir (covered)
Chapel House Farm
Castle Hayes Lane
Redhill Lane
Belmot Road
Green Lane
Ironwalls Lane
Burton Road
A511
Rolleston
New Farm
Leabrook
Hoblands Farm
Cornmill Lane
Church Lane
Lane End Farm
Shotwood Hill
Woodside Farm
Swim. Pool
Cemetery
Falling Pit Plantation
Burton Road Farm
Fiddler's Lane Plantation
Caster's Bank Plantation
Bleak House Farm
Moorfield Hill
Hoblands Farm
Fiddler's Lane
Road Lodge Hill Tut
DE13
Alder Moor
Matthew's Big Plantation
Rolleston Park
Mayfield
Northwood
Grange Farm
Deer Park Plantation
Lower Covert
Water House
Alder Moor Plantation
Weirs
Weir
Brookside
Wyndale
Bushton
Bushton Lane
Lount Bank
Piltons Farm
Lount Farm
Lount Cottages
Lount Lane
Audrena
White House
Harbourn
Ashfield
The Bungalow
Longhedge Lane
Upper Outwoods
Bushton Bridge
Whitestone Lane
Newgatefield
Stockley Plantation
Hill Farm
Beamhill Street
New Lodge
Anslow
Poplars Farm
Mount Pleasant Farm
Anslow Park Farm
Elm Cottage
Hall
Mill Hill Farm
The Mosley County Primary School
Willow Farm
Main Road
Outwoods Lane
Field Lane
Glen Holme
Upper Outwards Farm
Riddings Farm
Hanbury Road
Leyfields Farm
Bungalow Farm
Oak Lane
Owen's Bank
Fauld Lane
Prim. Sch.
Ferrers
Lancaster Dr.
Priory Cl.
Hillcrest
The Park Pale
Pinfold Cl.
Portway Drive
Babbington Cl.
Chatsworth Dr.
Ludgate St.
Norman Rd.
Holt's Avenue
4
12
A B C D E
1 2 3 4 5 6 7
21 22 25 26 27 28

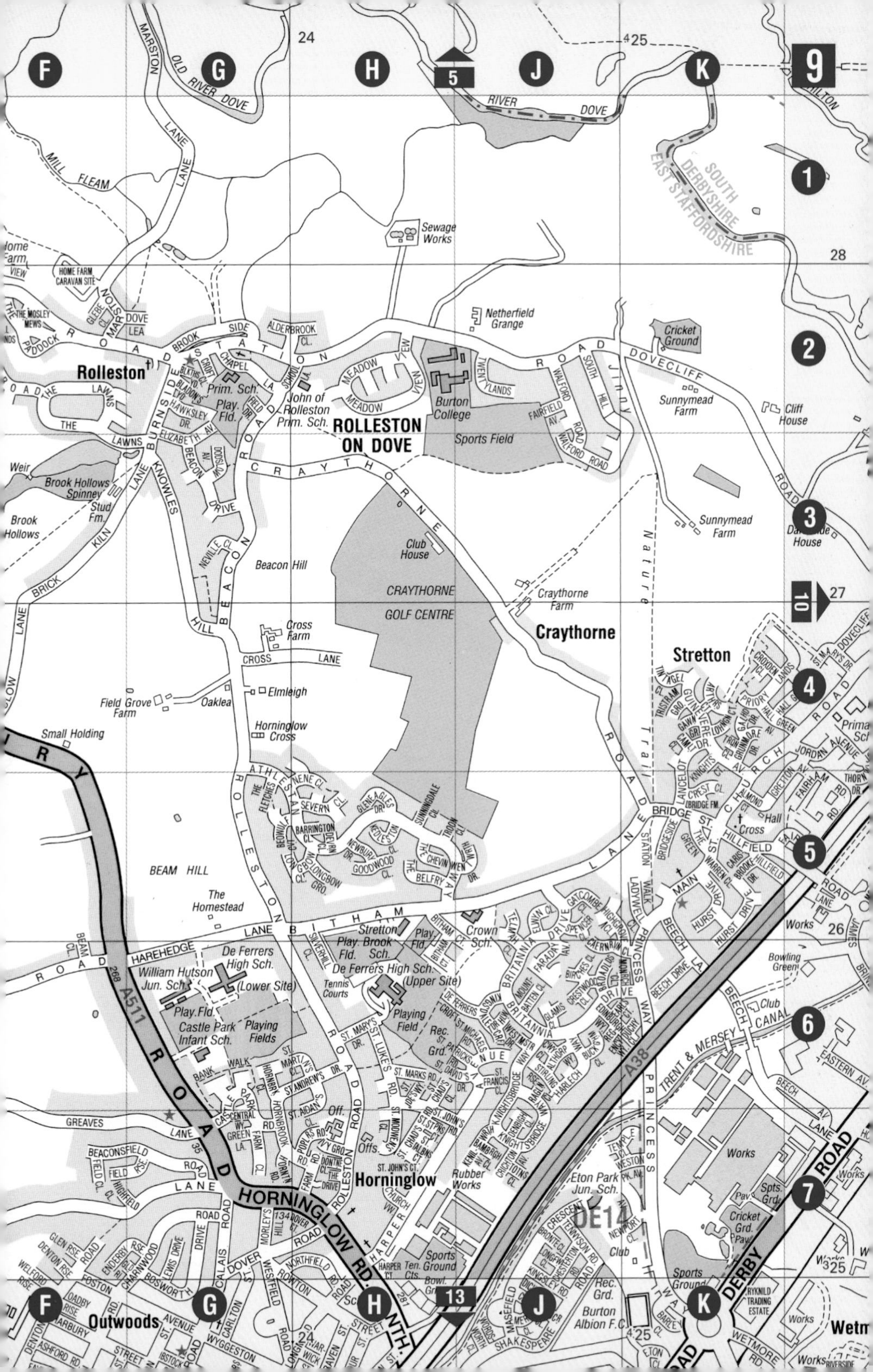

F
G
H
J
K
9
5
24
25
28
27
26
1
2
3
4
5
6
7
10
13
OLD RIVER DOVE
MARSTON LANE
RIVER DOVE
MILL FLEAM
SOUTH DERBYSHIRE
EAST STAFFORDSHIRE
HILTON
Sewage Works
Home Farm
HOME FARM CARAVAN SITE
THE MOSLEY MEWS
THE PADDOCK
MARSTON
GLEBE CL.
DOVE LEA
BROOK SIDE
ALDERBROOK CL.
STATION ROAD
Netherfield Grange
Cricket Ground
DOVECLIFF ROAD
Rolleston
THE LAWNS
Prim. Sch.
Play. Fld.
CHAPEL LA.
SCHOOL LA.
John of Rolleston Prim. Sch.
ROLLESTON ON DOVE
MEADOW VIEW
TWENTYLANDS
Burton College
Sports Field
WALFORD ROAD
SOUTH HILL
JINNY
FAIRFIELD AV.
Sunnymead Farm
Cliff House
HAWKSLEY DR.
ELIZABETH AV.
BEACON DRIVE
Weir
Brook Hollows Spinney
Stud Fm.
Brook Hollows
KNOWLES HILL
BRICK KILN LANE
CRAYTHORNE ROAD
Club House
Beacon Hill
NEVILLE CL.
BEACON ROAD
CRAYTHORNE GOLF CENTRE
Craythorne Farm
Craythorne
Nature Trail
Dove House
Cross Farm
CROSS LANE
Elmleigh
Oaklea
Field Grove Farm
Small Holding
Horninglow Cross
Stretton
TINTAGEL CL.
TRISTRAM GRO.
GUINEVERE
LANCELOT
KNIGHTS CT.
CREST CL.
BRIDGE FM.
BRIDGE ST.
CHURCH ROAD
PRIORY LANDS
JORDAN AVENUE
GRETTON AV.
FAIRHAM RD.
Cross
Hall
HILLFIELD LA.
ATHELSTAN
THE FLETCHES
NENE CL.
SEVERN CL.
GLENEAGLES
BARRINGTON CL.
SUNNINGDALE CL.
TROON
CHEVIN
WENTWORTH DR.
BEOWULF COVERT
LONGBOW CL.
LONGBOW GRO.
NEWBURY DR.
GOODWOOD CL.
THE BELFRY
WAY
BEAM HILL
The Homestead
ROLLESTON ROAD
BITHAM LANE
Stretton Play. Fld.
Brook Sch.
Play. Fld.
Crown Sch.
BRITANNIA DRIVE
LADYWELL CL.
PRINCESS WAY
MAIN
BEECH LA.
HURST DRIVE
Works
Bowling Green
BEAM CL.
HAREHEDGE ROAD
De Ferrers High Sch. (Lower Site)
William Hutson Jun. Sch.
De Ferrers High Sch. (Upper Site)
Tennis Courts
Playing Field
Play. Fld.
Castle Park Infant Sch.
Playing Fields
A511
ROAD
Rec. Grd.
TRENT & MERSEY CANAL
Club
EASTERN AV.
A38
BEECH AV.
BEECH LANE
GREAVES LANE
BEACONSFIELD
ST. ANDREW'S DR.
HORNBROOK
Offs.
Works
DERBY ROAD
Horninglow
Rubber Works
Eton Park Jun. Sch.
DE14
Sports Grd.
Pav.
Cricket Grd.
Club
HORNINGLOW RD. NTH.
Sports Ground
Ten. Cts.
Bowl. Grn.
Rec. Grd.
Burton Albion F.C.
Sports Ground
RYKNILD TRADING ESTATE
Outwoods
CHARNWOOD
BOSWORTH
DOVER ROAD
CALAIS ROAD
WESTFIELD
NORTHFIELD RD.
HARPER AV.
SHAKESPEARE
MASEFIELD
WETMORE RD
Works

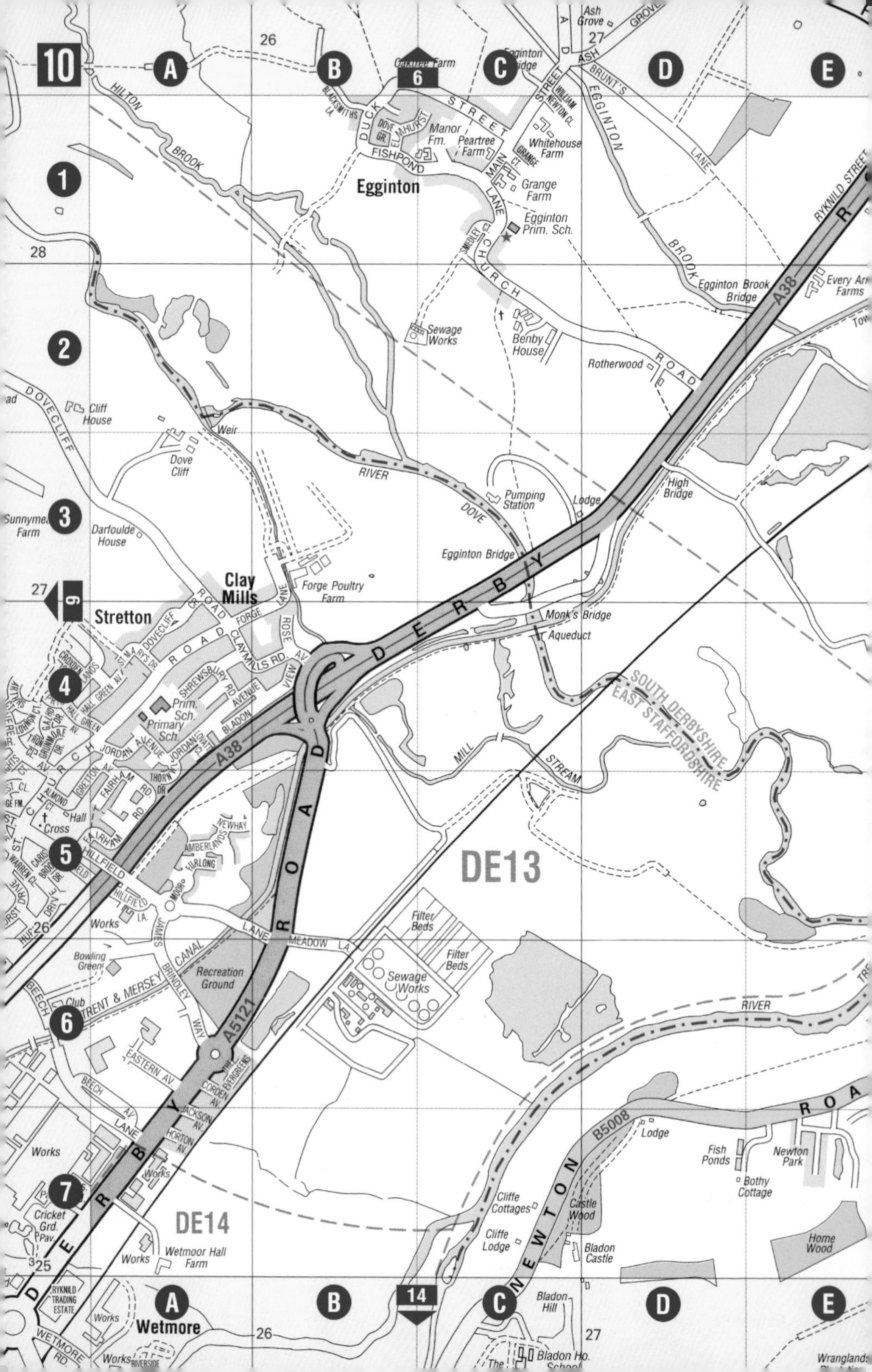

Egginton
Clay Mills
Stretton
Wetmore
DE13
DE14
Oaktree Farm
Egginton Bridge
Manor Fm.
Peartree Farm
Whitehouse Farm
Grange Farm
Egginton Prim. Sch.
Sewage Works
Benby House
Rotherwood
Egginton Brook Bridge
Every Arms Farms
Cliff House
Dove Cliff
Weir
Pumping Station
Lodge
High Bridge
Sunnymead Farm
Darfoulde House
Forge Poultry Farm
Monk's Bridge
Aqueduct
SOUTH DERBYSHIRE
EAST STAFFORDSHIRE
Prim. Sch.
Primary Sch.
Hall
Cross
Works
Bowling Green
Club
Recreation Ground
Filter Beds
Cricket Grd.
Pav.
Wetmoor Hall Farm
RYKNILD TRADING ESTATE
Cliffe Cottages
Cliffe Lodge
Castle Wood
Bladon Castle
Bladon Hill
Bladon Ho. School
Fish Ponds
Newton Park
Bothy Cottage
Home Wood
Lodge
Wranglands
HILTON BROOK
RIVER DOVE
MILL STREAM
RIVER TRENT
TRENT & MERSEY CANAL
DERBY ROAD
A38
A5121
B5008
NEWTON ROAD
RYKNILD STREET
EGGINTON BROOK
BRUNT'S LANE
CHURCH ROAD
MAIN LANE
DUCK STREET
FISHPOND
ASH GROVE
DOVECLIFF ROAD
CLAYMILLS RD.
ROSE VIEW AV.
MEADOW LA.
JAMES BRINDLEY WAY
BEECH LANE
EASTERN AV.
WETMORE RD.

6
9
14

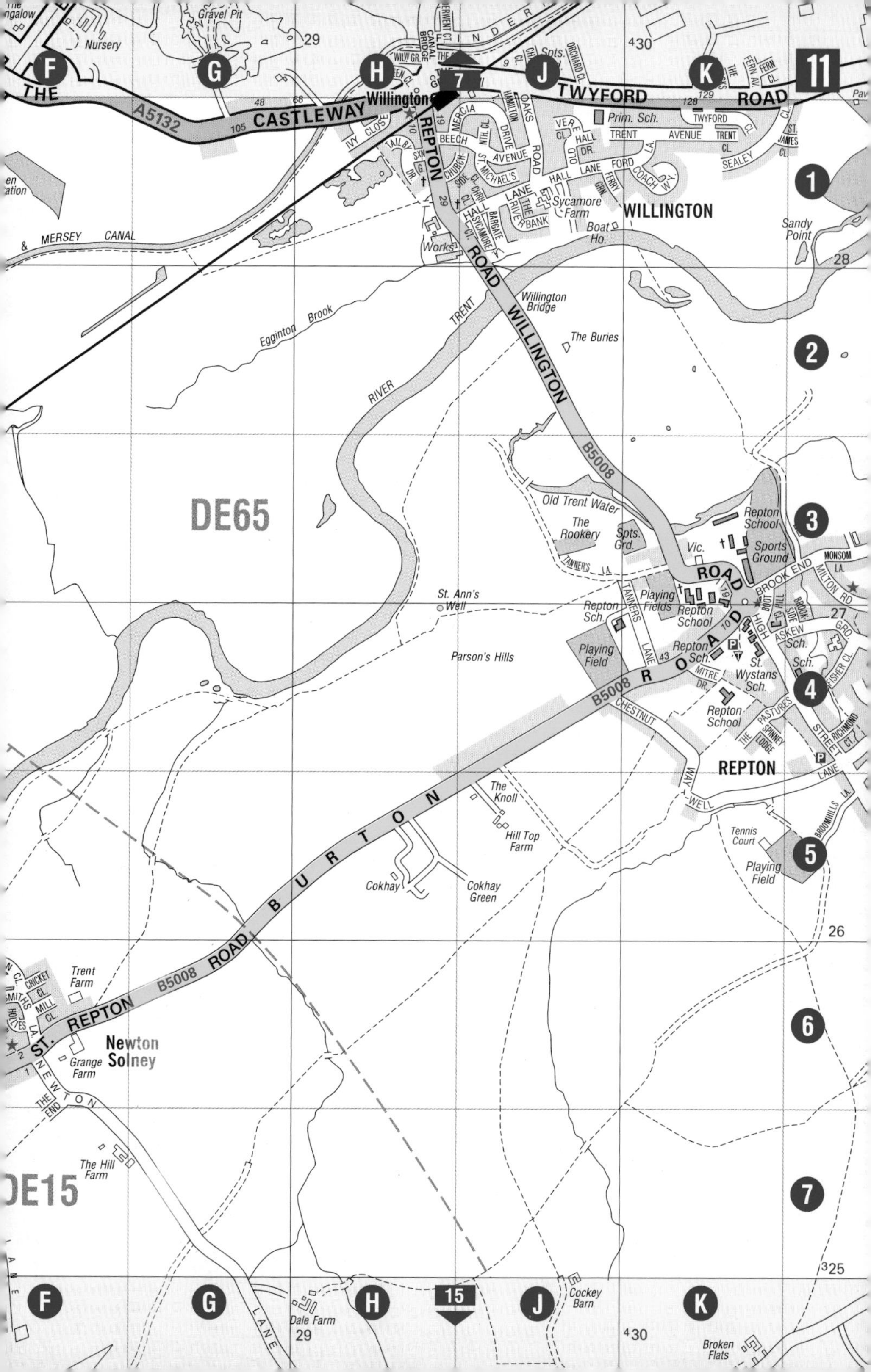

WILLINGTON
REPTON
Newton Solney
DE65
DE15
CASTLEWAY
A5132
TWYFORD ROAD
REPTON ROAD
WILLINGTON ROAD
B5008
BURTON ROAD
ST. REPTON
RIVER TRENT
& MERSEY CANAL
Egginton Brook
Willington Bridge
The Buries
Old Trent Water
The Rookery
Spts. Grd.
Repton School
Sports Ground
Playing Fields
Playing Field
St. Ann's Well
Parson's Hills
The Knoll
Hill Top Farm
Cokhay
Cokhay Green
Trent Farm
Grange Farm
The Hill Farm
Dale Farm
Cockey Barn
Broken Flats
Tennis Court
Sandy Point
Sycamore Farm
Boat Ho.
Works
Prim. Sch.
Gravel Pit
Nursery
Willington
St. Wystans Sch.
HIGH STREET
BROOK END
MONSOM LA.
MILTON RD
CHESTNUT WAY
WELL LANE
BROOMHILLS LA.
TANNERS LANE
TANNER'S LA.
MITRE DR.
THE PASTURES
SPINNEY LODGE
RICHMOND CT.
FISHER CL.
NEWTON LANE
THE END
CRICKET CL.
MILL CL.
SMITHS CL.
HOLLYES LA.
TRENT AVENUE
SEALEY CL.
ST. JAMES CL.
HALL LANE
FORD LA.
COACH WY.
HALL DR.
VERE CL.
OAKS ROAD
HAMILTON DRIVE
BEECH AVENUE
ST. MICHAEL'S CL.
CHURCH SIDE
BARGATE
SYCAMORE CL.
THE BANK
IVY CLOSE
TAILBY DR.
MERCIA
CANAL BRIDGE
TWYFORD CL.
TRENT CL.
FERN AV.
ORCHARD CL.
Spts.
DERWENT CT.
CINDER
Pav.
F G H J K
1 2 3 4 5 6 7
7
15
11
29 430 28 27 26 325

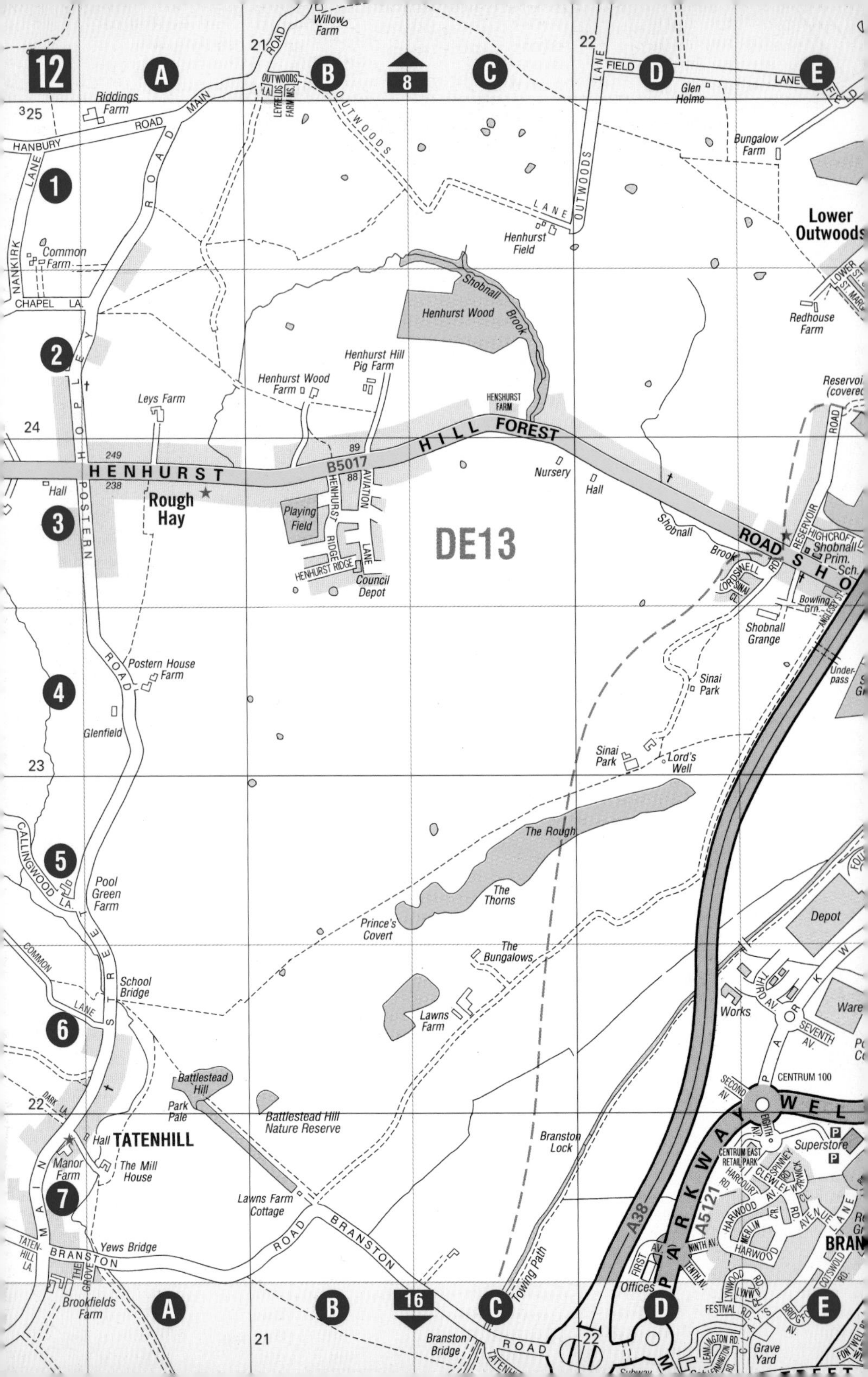

A
B
C
D
E
8
16
Willow Farm
Riddings Farm
HANBURY ROAD
MAIN ROAD
OUTWOODS LANE
LEYFIELDS FARM MS.
FIELD LANE
Glen Holme
Bungalow Farm
Lower Outwoods
Henhurst Field
Common Farm
NANKIRK LANE
CHAPEL LA.
Shobnall Brook
Henhurst Wood
Redhouse Farm
Henhurst Hill Pig Farm
Henhurst Wood Farm
Leys Farm
HENSHURST FARM
Reservoir (covered)
HOPLEY
HENHURST
HILL
FOREST
ROAD
B5017
Nursery
Hall
Rough Hay
Playing Field
HENHURST RIDGE
AVIATION LANE
Council Depot
DE13
RESERVOIR ROAD
HIGHCROFT
Shobnall Prim. Sch.
LORDSWELL RD.
SINAI CL.
Bowling Grn.
ANGLESEY ST.
Shobnall Grange
Underpass
POSTERN ROAD
Postern House Farm
Glenfield
Sinai Park
Lord's Well
The Rough
CALLINGWOOD LA.
Pool Green Farm
The Thorns
Prince's Covert
Depot
The Bungalows
COMMON LANE
School Bridge
STREET
Works
Lawns Farm
THIRD AV.
SEVENTH AV.
PARK
CENTRUM 100
SECOND AV.
WELLINGTON
DARK LA.
Battlestead Hill
Park Pale
Battlestead Hill Nature Reserve
Hall
TATENHILL
Manor Farm
The Mill House
Branston Lock
EIGHTH AV.
Superstore
CENTRUM EAST RETAIL PARK
CLEWLEY RD.
HARCOURT
WARWICK CL.
HARWOOD AV.
MERLIN CR.
AVENUE
Lawns Farm Cottage
MAIN
A38
A5121
Towing Path
FIRST AV.
NINTH AV.
TENTH AV.
BRAN
TATENHILL LA.
BRANSTON ROAD
Yews Bridge
THE GROVE
Brookfields Farm
Offices
LYNWOOD RD.
FESTIVAL RD.
BRIDGFORD AV.
COTSWOLD RD.
Branston Bridge
LEAMINGTON RD.
Grave Yard
21
22
23
24
325
249
238
89
88

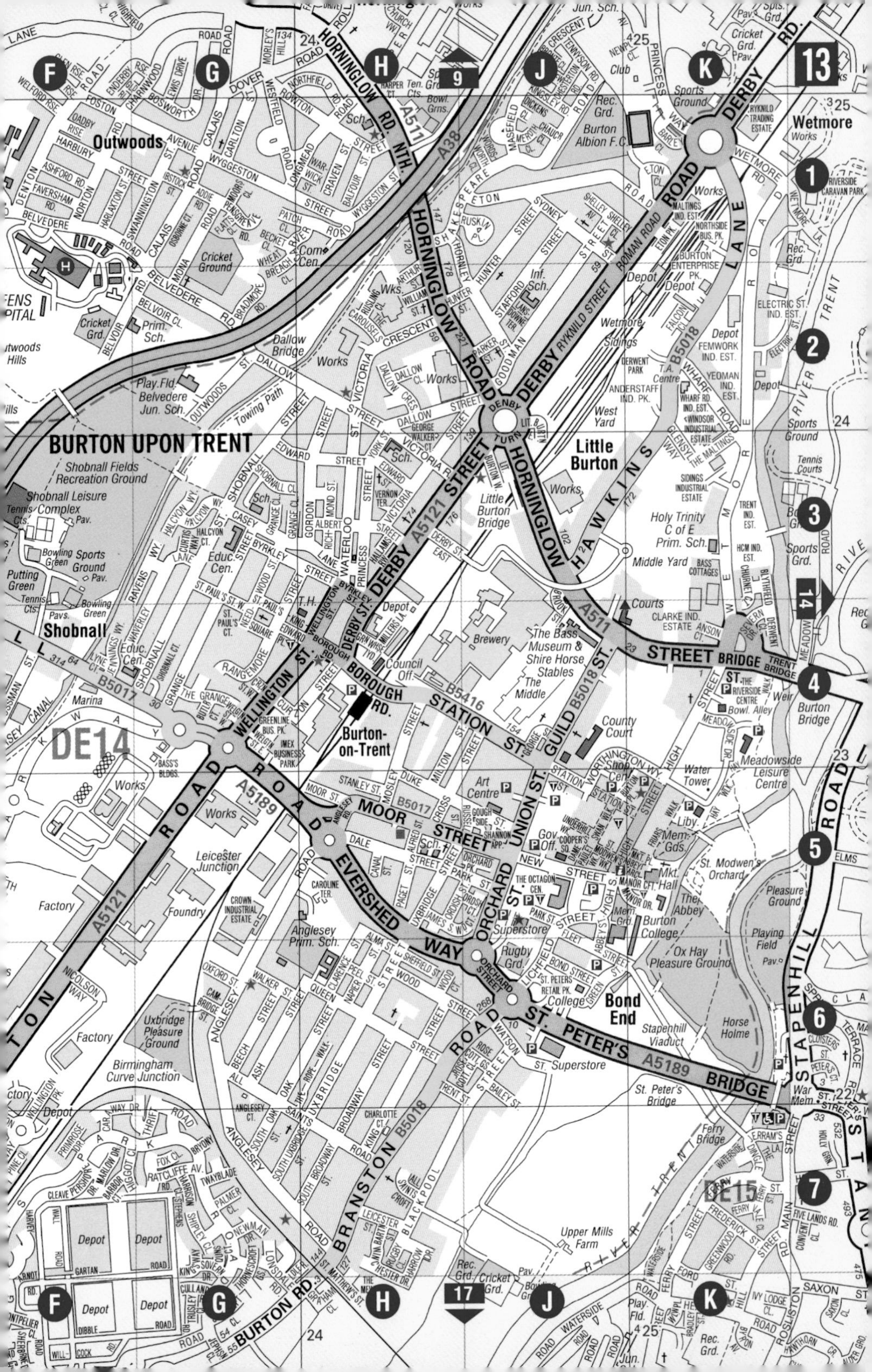

13
BURTON UPON TRENT
Outwoods
Shobnall
Little Burton
Wetmore
Bond End
DE14
DE15
Shobnall Fields Recreation Ground
Shobnall Leisure Complex
Burton Albion F.C.
The Bass Museum & Shire Horse Stables
Burton-on-Trent
Council Off.
County Court
Brewery
Meadowside Leisure Centre
Burton Bridge
Burton College
The Abbey
Ox Hay Pleasure Ground
Horse Holme
St. Modwen's Orchard
Stapenhill Viaduct
St. Peter's Bridge
Ferry Bridge
Upper Mills Farm
Uxbridge Pleasure Ground
Birmingham Curve Junction
Leicester Junction
Anglesey Prim. Sch.
Holy Trinity C of E Prim. Sch.
Middle Yard
West Yard
Wetmore Sidings
Dallow Bridge
Little Burton Bridge
Belvedere Jun. Sch.
Riverside Caravan Park
RIVER TRENT
HORNINGLOW ROAD
DERBY STREET
DERBY ROAD
WELLINGTON ROAD
STATION STREET
BOROUGH ROAD
MOOR STREET
EVERSHED WAY
ST. PETER'S BRIDGE
STAPENHILL ROAD
BRANSTON ROAD
HAWKINS LANE
WETMORE ROAD
UNION ST.
GUILD ST.
HIGH ST.
A38
A511
A5121
A5189
B5017
B5018
B5416
B5078
9
14
17
F G H J K
1 2 3 4 5 6 7
24
25
23
22

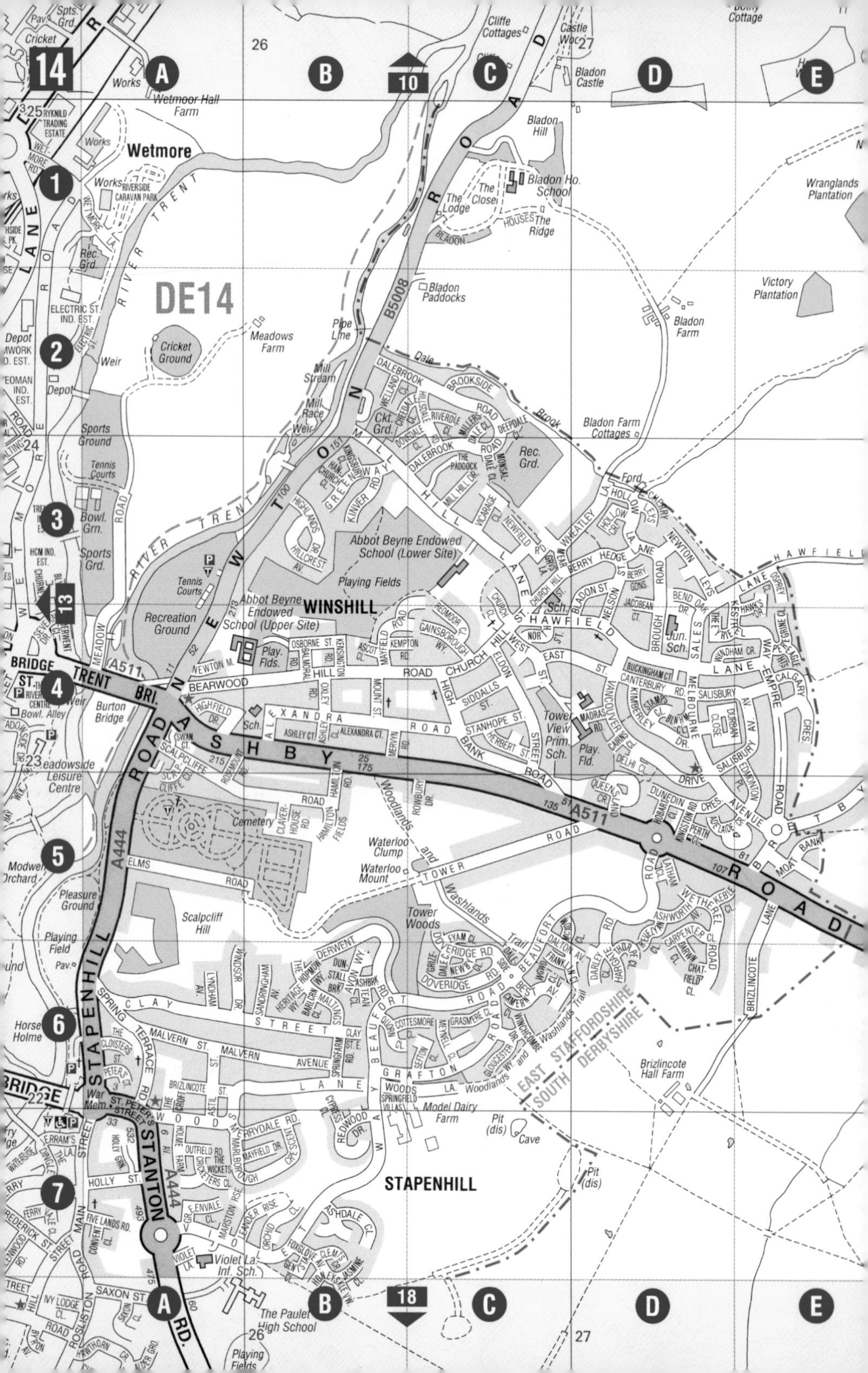
A
B
C
D
E
1
2
3
4
5
6
7
10
13
18
26
27
25
24
23
22
DE14
Wetmore
WINSHILL
STAPENHILL
Wetmoor Hall Farm
Works
Cricket
RYKNILD TRADING ESTATE
RIVERSIDE CARAVAN PARK
Rec. Grd.
ELECTRIC ST. IND. EST.
Depot
YEOMAN IND. EST.
Sports Ground
Tennis Courts
Bowl. Grn.
Sports Grd.
HCM IND. EST.
RIVER TRENT
Cricket Ground
Weir
Meadows Farm
Pipe Line
Mill Stream
Mill Race
Cliffe Cottages
Castle Wood
Bladon Castle
Bladon Hill
Bladon Ho. School
The Close
The Lodge
The Ridge
Bladon Paddocks
Bladon Farm
Bladon Farm Cottages
Wranglands Plantation
Victory Plantation
Dale Brook
Ford
B5008
NEWTON ROAD
Recreation Ground
Tennis Courts
Abbot Beyne Endowed School (Upper Site)
Abbot Beyne Endowed School (Lower Site)
Playing Fields
Play. Flds.
Ckt. Grd.
Rec. Grd.
Jun. Sch.
Sch.
Tower View Prim. Sch.
Play. Fld.
BRIDGE ST.
TRENT BRI.
A511
ASHBY ROAD
Burton Bridge
Bowl. Alley
Meadowside Leisure Centre
A444
STAPENHILL ROAD
Cemetery
Scalpcliff Hill
Waterloo Clump
Waterloo Mount
Tower Woods
Woodlands and Washlands Trail
TOWER ROAD
Modwen Orchard
Pleasure Ground
Playing Field
Pav.
Horse Holme
War Mem.
STANTON RD.
EAST STAFFORDSHIRE
SOUTH DERBYSHIRE
Brizlincote Hall Farm
BRIZLINCOTE LANE
Model Dairy Farm
Pit (dis)
Cave
Violet La. Inf. Sch.
The Paulet High School
Playing Fields
HILL ROAD
HIGH BANK ROAD
HAWFIELD LANE
MILL HILL LANE
CHURCH HILL ST.
MELBOURNE AVENUE
EMPIRE ROAD
CLAY STREET
MALVERN AVENUE
GRAFTON ROAD
BEAUFORT ROAD
ELMS ROAD
MAIN STREET
HOLLY ST.
SAXON ST.
ROSLISTON ROAD

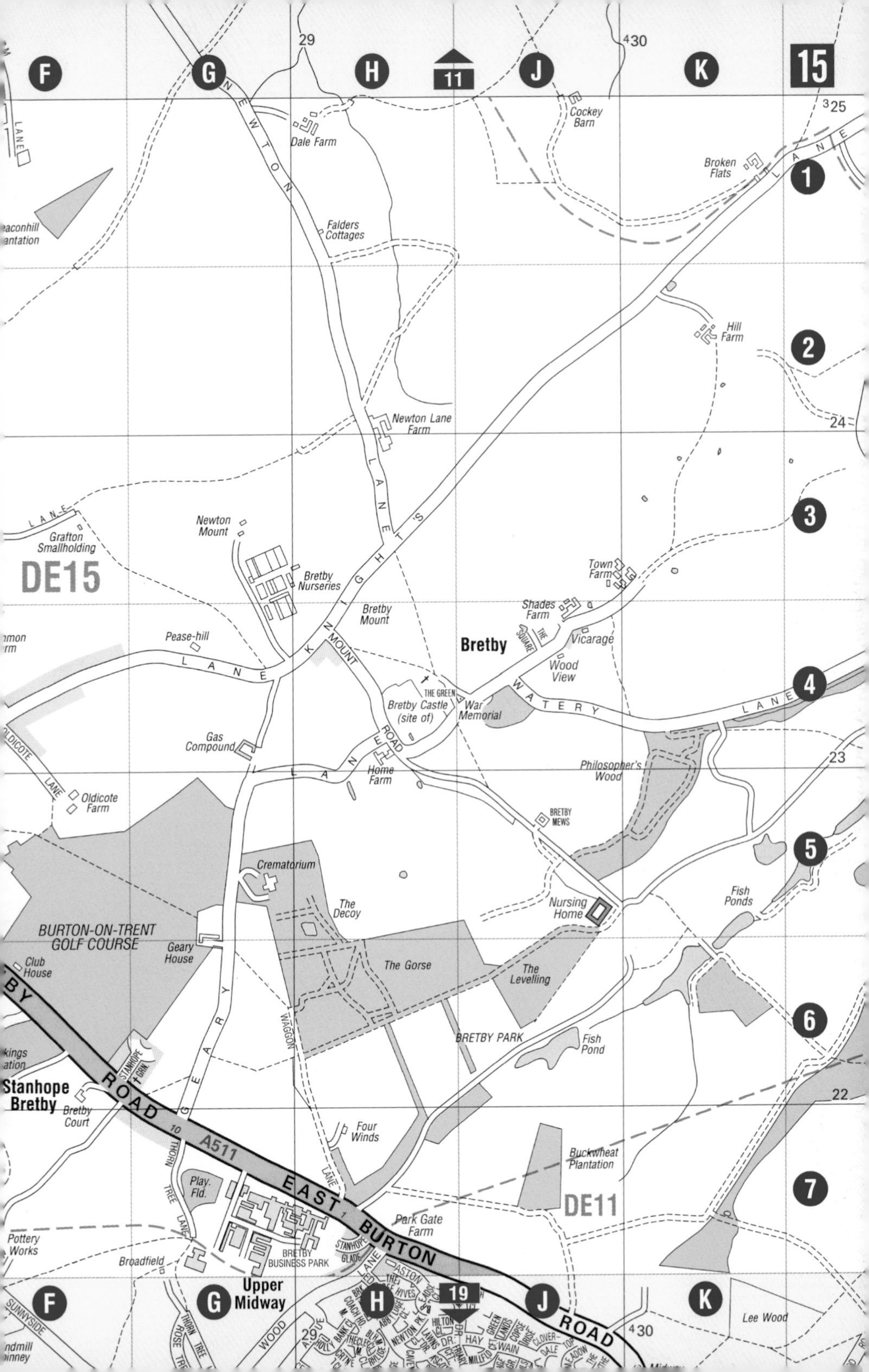
F
G
H
11
J
K
Cockey Barn
Dale Farm
NEWTON LANE
Broken Flats
Falders Cottages
Hill Farm
Newton Lane Farm
KNIGHT'S LANE
Grafton Smallholding
Newton Mount
DE15
Bretby Nurseries
Town Farm
Shades Farm
Bretby Mount
Pease-hill
Bretby
Vicarage
THE SQUARE
Wood View
MOUNT ROAD
THE GREEN
Bretby Castle (site of)
War Memorial
WATERY LANE
Gas Compound
Philosopher's Wood
OLDICOTE LANE
Oldicote Farm
Home Farm
BRETBY MEWS
Crematorium
The Decoy
Nursing Home
Fish Ponds
BURTON-ON-TRENT GOLF COURSE
Geary House
The Gorse
The Levelling
Club House
GEARY LANE
WAGGON
BRETBY PARK
Fish Pond
STANHOPE GRN.
Stanhope Bretby
Bretby Court
Four Winds
A511
BURTON ROAD
EAST BURTON ROAD
THORN TREE LANE
Buckwheat Plantation
Play. Fld.
DE11
Park Gate Farm
Pottery Works
Broadfield
BRETBY BUSINESS PARK
STANHOPE GLADE
Upper Midway
19
Lee Wood
SUNNYSIDE
THORN TREE
ROSE TREE
WOOD
1
2
3
4
5
6
7
29
430
325
24
23
22

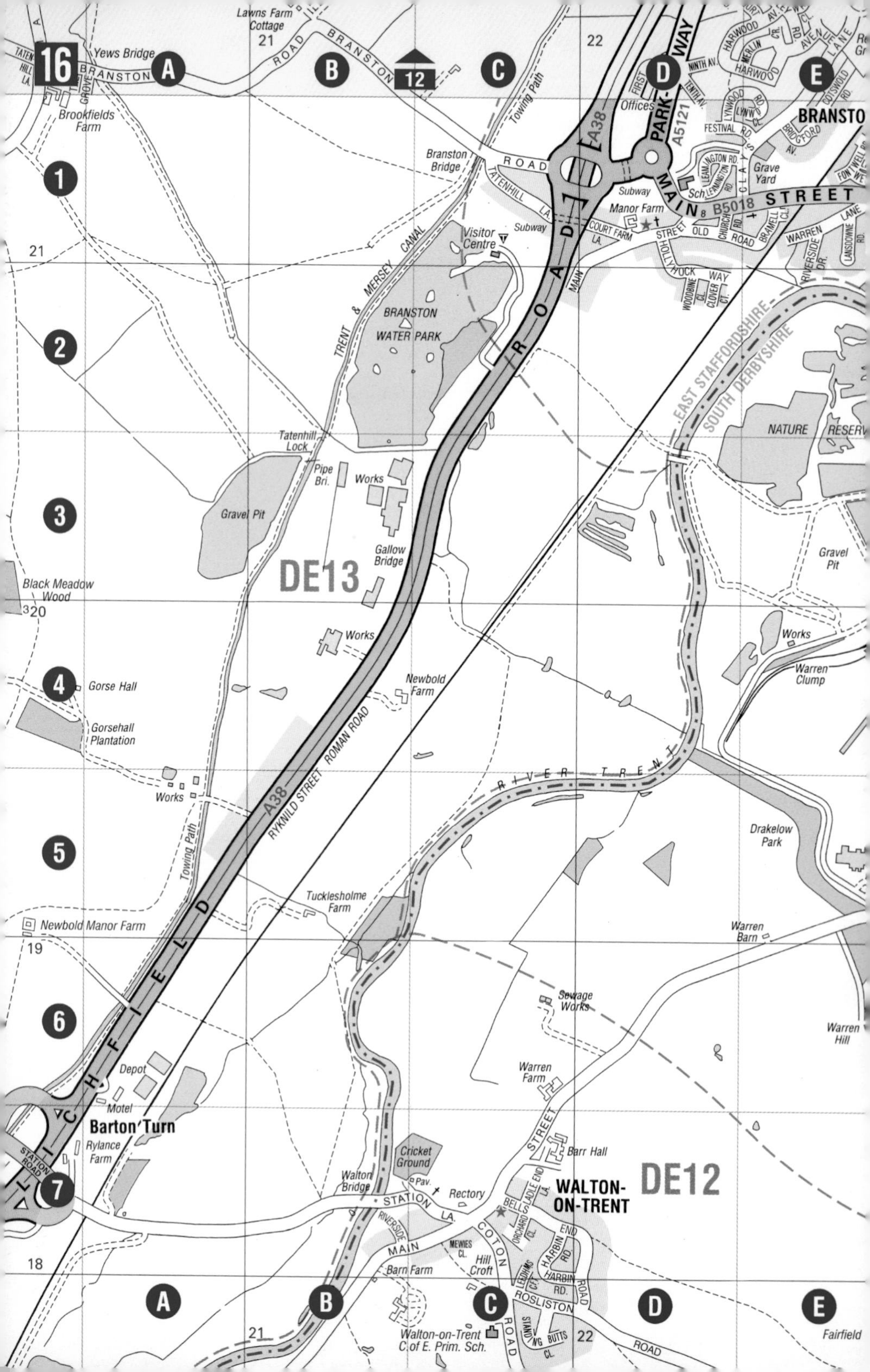
12
Lawns Farm Cottage
Yews Bridge
BRANSTON ROAD
Brookfields Farm
GROVE
Branston Bridge
TATENHILL LA.
Towing Path
PARKWAY
A5121
A38
Offices
FIRST AV.
NINTH AV.
TENTH AV.
HARWOOD
MERLIN
AVENUE
LANE
LYNWOOD
FESTIVAL RD.
BRIDGFORD AV.
COTSWOLD RD.
FONTWELL RD.
BRANSTO
Subway
Sch.
LEAMINGTON RD.
CLAYS
Grave Yard
MAIN STREET
B5018
Manor Farm
COURT FARM LA.
OLD STREET
CHURCH RD.
ROAD
BRAMELL CL.
WARREN
LANSDOWNE
RIVERSIDE DR.
HOLLYHOCK WAY
WOODBINE CL.
CLOVER CT.
Visitor Centre
TRENT & MERSEY CANAL
BRANSTON WATER PARK
ROAD
EAST STAFFORDSHIRE
SOUTH DERBYSHIRE
NATURE RESERV
Tatenhill Lock
Pipe Bri.
Works
Gravel Pit
Gallow Bridge
DE13
Black Meadow Wood
Gorse Hall
Gorsehall Plantation
Newbold Farm
RYKNILD STREET ROMAN ROAD
Warren Clump
RIVER TRENT
Drakelow Park
Tucklesholme Farm
Newbold Manor Farm
Warren Barn
Sewage Works
Warren Hill
LICHFIELD
Depot
Motel
Barton Turn
Rylance Farm
STATION ROAD
Warren Farm
Barr Hall
Cricket Ground
Pav.
Rectory
Walton Bridge
STATION LA.
WALTON-ON-TRENT
DE12
BELLS
LADLE END LA.
ORCHARD CL.
RIVERSIDE
MEWIES CL.
COTON
Hill Croft
HARBIN RD.
END
LEDHAMS CT.
Barn Farm
ROSLISTON
STANDING BUTTS CL.
Walton-on-Trent C of E. Prim. Sch.
Fairfield
A B C D E
1 2 3 4 5 6 7
21 22 20 19 18

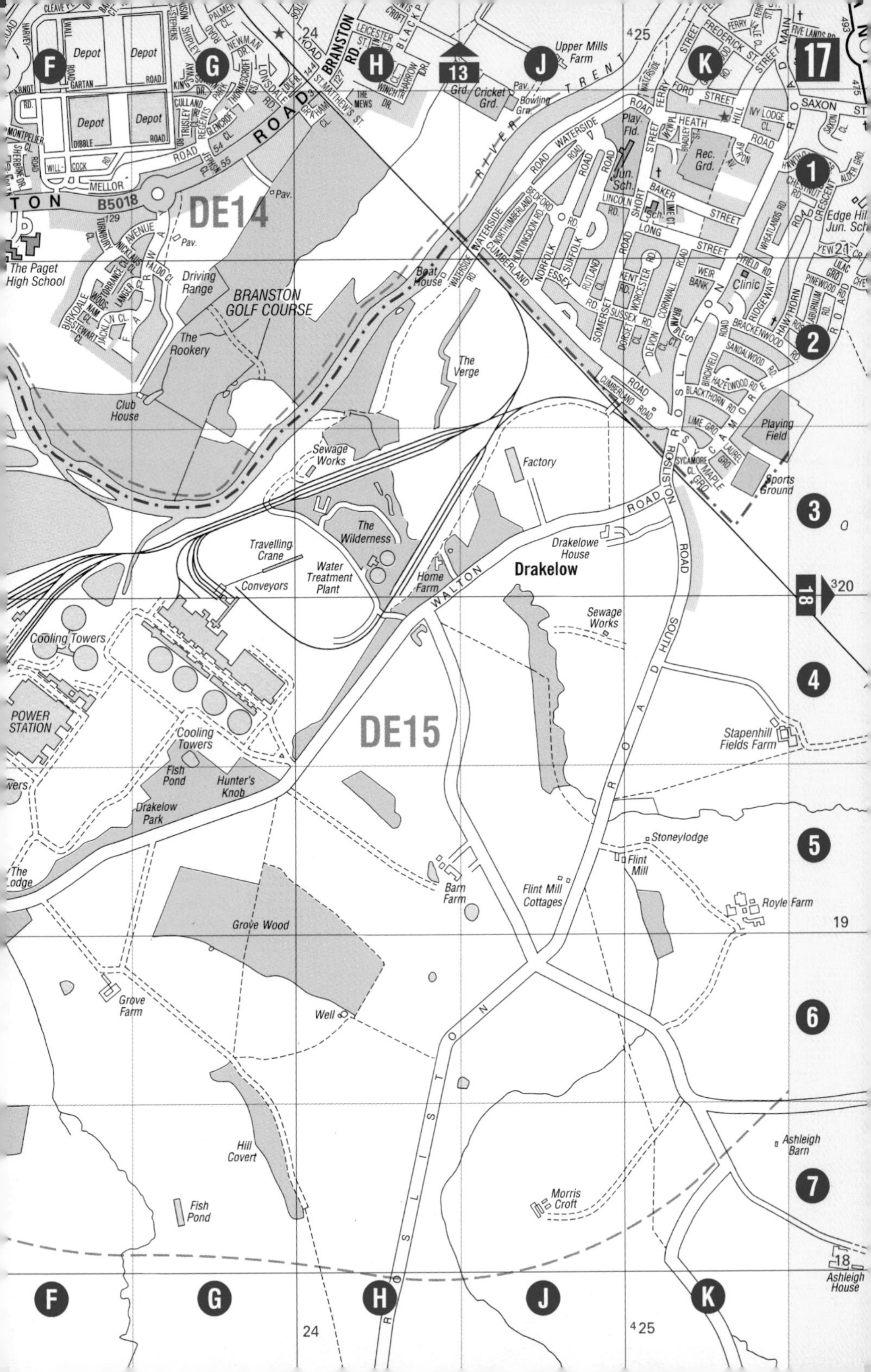

17
13
18
F
G
H
J
K
1
2
3
4
5
6
7
DE14
DE15
BRANSTON GOLF COURSE
Drakelow
POWER STATION
Cooling Towers
Water Treatment Plant
The Wilderness
Sewage Works
Factory
Drakelowe House
Stapenhill Fields Farm
Stoneylodge
Flint Mill
Flint Mill Cottages
Royle Farm
Barn Farm
Grove Wood
Grove Farm
Hill Covert
Fish Pond
Morris Croft
Ashleigh Barn
Ashleigh House
Drakelow Park
Hunter's Knob
Home Farm
The Verge
Boat House
The Rookery
Club House
Driving Range
The Paget High School
Upper Mills Farm
RIVER TRENT
WALTON ROAD
ROSLISTON ROAD
ROSLISTON ROAD SOUTH
B5018
24
425
320
19

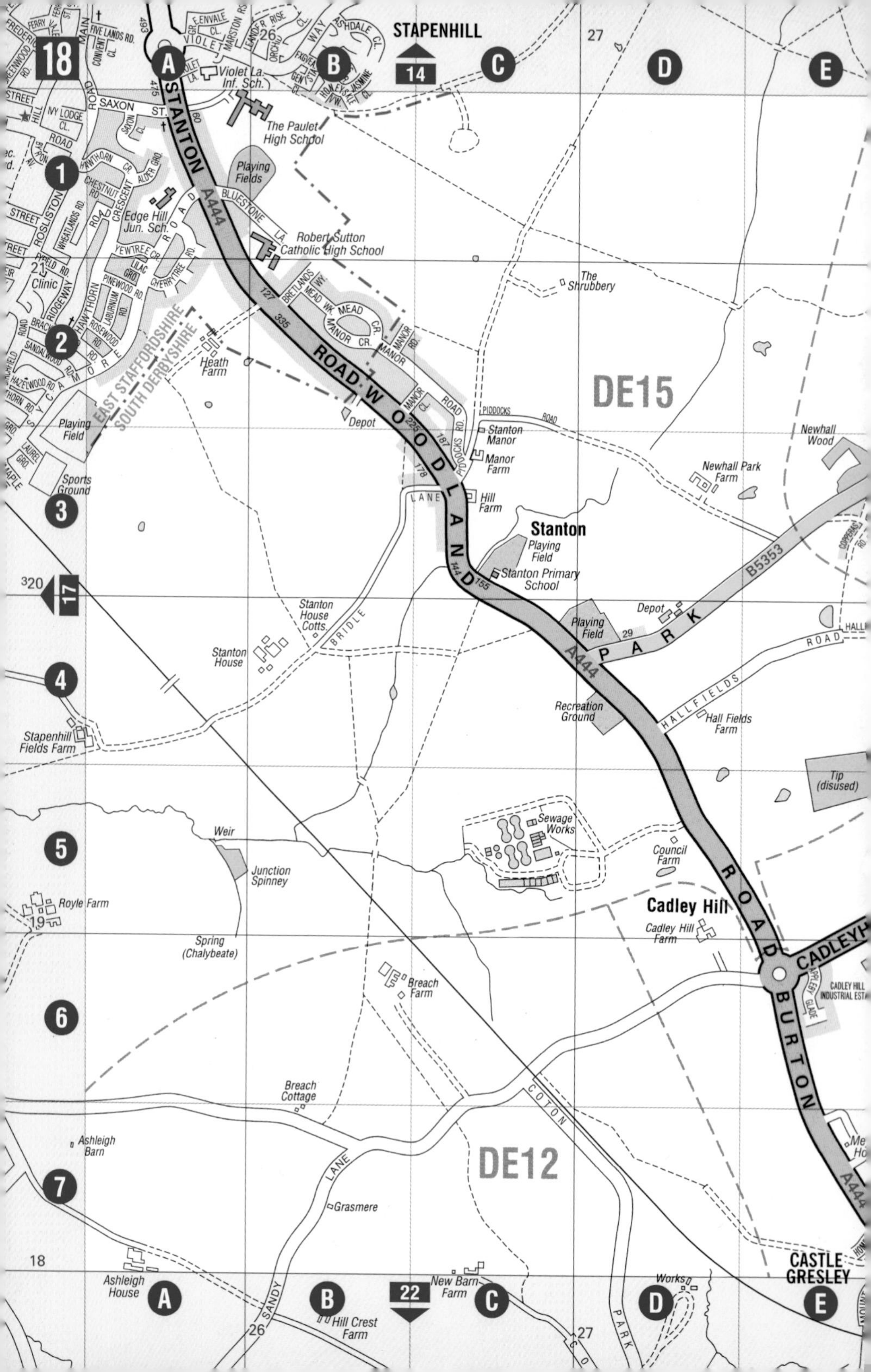
STAPENHILL
14
STANTON
A444
Violet La. Inf. Sch.
The Paulet High School
Playing Fields
Edge Hill Jun. Sch.
Robert Sutton Catholic High School
The Shrubbery
Heath Farm
EAST STAFFORDSHIRE
SOUTH DERBYSHIRE
Playing Field
Sports Ground
Depot
Stanton Manor
Manor Farm
Hill Farm
ROAD WOODLAND
DE15
Newhall Wood
Newhall Park Farm
Stanton
Playing Field
Stanton Primary School
B5353
PARK
Depot
Playing Field
HALLFIELDS
ROAD
Hall Fields Farm
Recreation Ground
Stanton House Cotts.
Stanton House
BRIDLE
Stapenhill Fields Farm
Tip (disused)
Sewage Works
Council Farm
Weir
Junction Spinney
Royle Farm
Cadley Hill
Cadley Hill Farm
CADLEYH
CADLEY HILL INDUSTRIAL EST
APPLEBY GLADE
Spring (Chalybeate)
Breach Farm
BURTON
ROAD
Breach Cottage
COTON
Ashleigh Barn
DE12
LANE
Grasmere
Ashleigh House
SANDY
New Barn Farm
22
Hill Crest Farm
Works
PARK
CASTLE GRESLEY
17
320
A B C D E
1 2 3 4 5 6 7
26 27 18 19 21

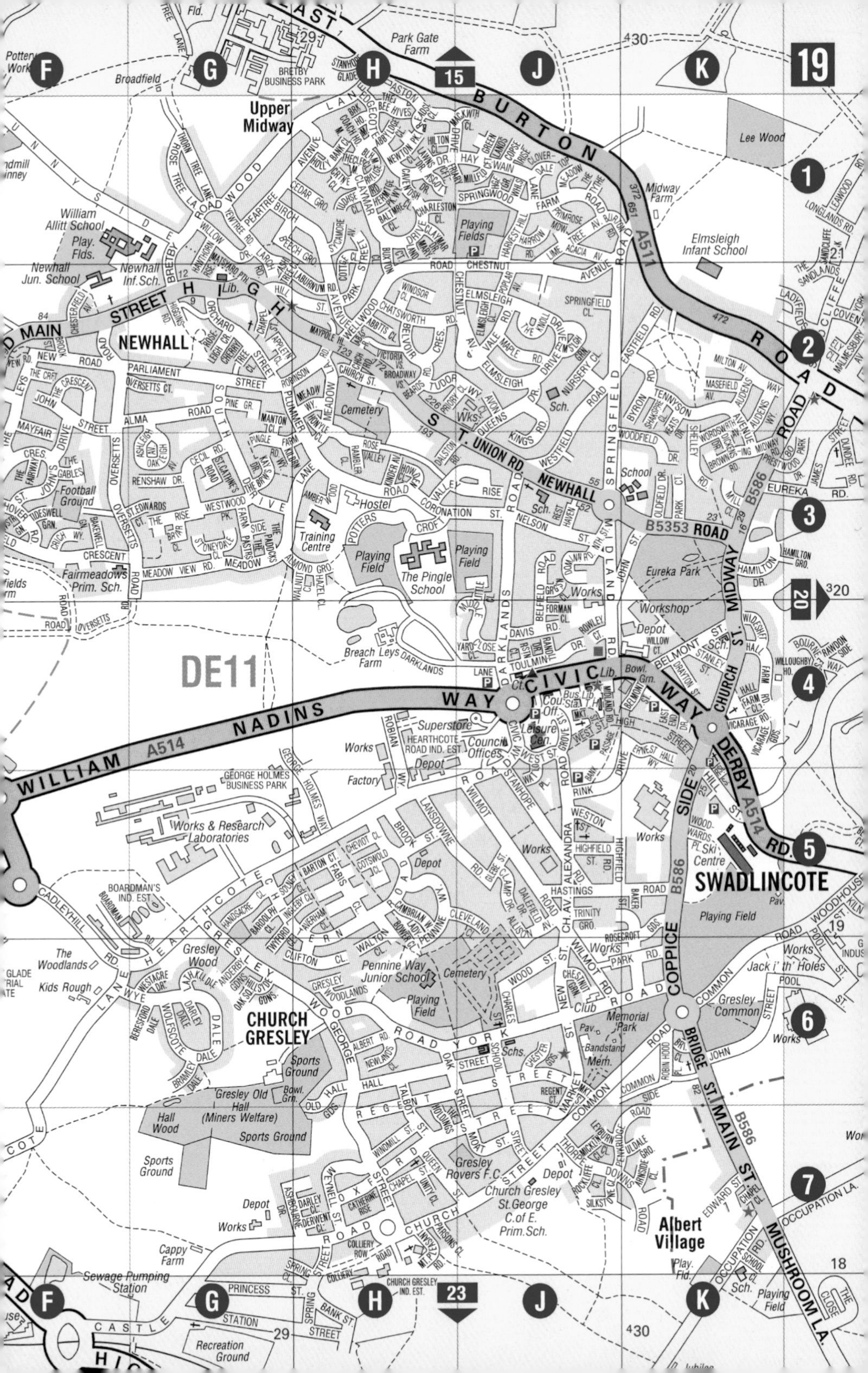

19
15
20
23
F
G
H
J
K
1
2
3
4
5
6
7
430
320
21
19
18
29
Upper Midway
NEWHALL
SWADLINCOTE
CHURCH GRESLEY
Albert Village
DE11
BURTON ROAD
A511
B586
A514
B5353
WILLIAM NADINS WAY
CIVIC WAY
HIGH STREET
ST. UNION RD.
MIDLAND RD.
CHURCH ST.
MIDWAY
COPPICE SIDE
DERBY RD.
HEARTHCOTE RD.
GRESLEY WOOD RD.
YORK ROAD
MARKET ST.
REGENT ST.
OXFORD STREET
CHURCH STREET
MAIN ST.
BRIDGE ST.
MUSHROOM LA.
OCCUPATION LA.
CASTLE
PRINCESS ST.
STATION STREET
BANK ST.
Park Gate Farm
Bretby Business Park
Broadfield
Pottery Works
Lee Wood
Midway Farm
Elmsleigh Infant School
William Allitt School
Play. Flds.
Newhall Jun. School
Newhall Inf.Sch.
Lib.
Playing Fields
Cemetery
Football Ground
Fairmeadows Prim. Sch.
Hostel
Training Centre
Playing Field
The Pingle School
Breach Leys Farm
School
Sch.
Eureka Park
Workshop
Depot
Works
Superstore
Hearthcote Road Ind. Est.
Council Offices
Factory
George Holmes Business Park
Works & Research Laboratories
Boardman's Ind. Est.
Leisure Cen.
Ski Centre
Playing Field
Pav.
Jack i' th' Holes
Gresley Common
Memorial Park
Bandstand
Mem.
Pennine Way Junior School
Gresley Wood
The Woodlands
Kids Rough
Sports Ground
Gresley Old Hall (Miners Welfare)
Hall Wood
Sports Ground
Gresley Rovers F.C.
Church Gresley St.George C.of E. Prim.Sch.
Cappy Farm
Sewage Pumping Station
Church Gresley Ind. Est.
Recreation Ground

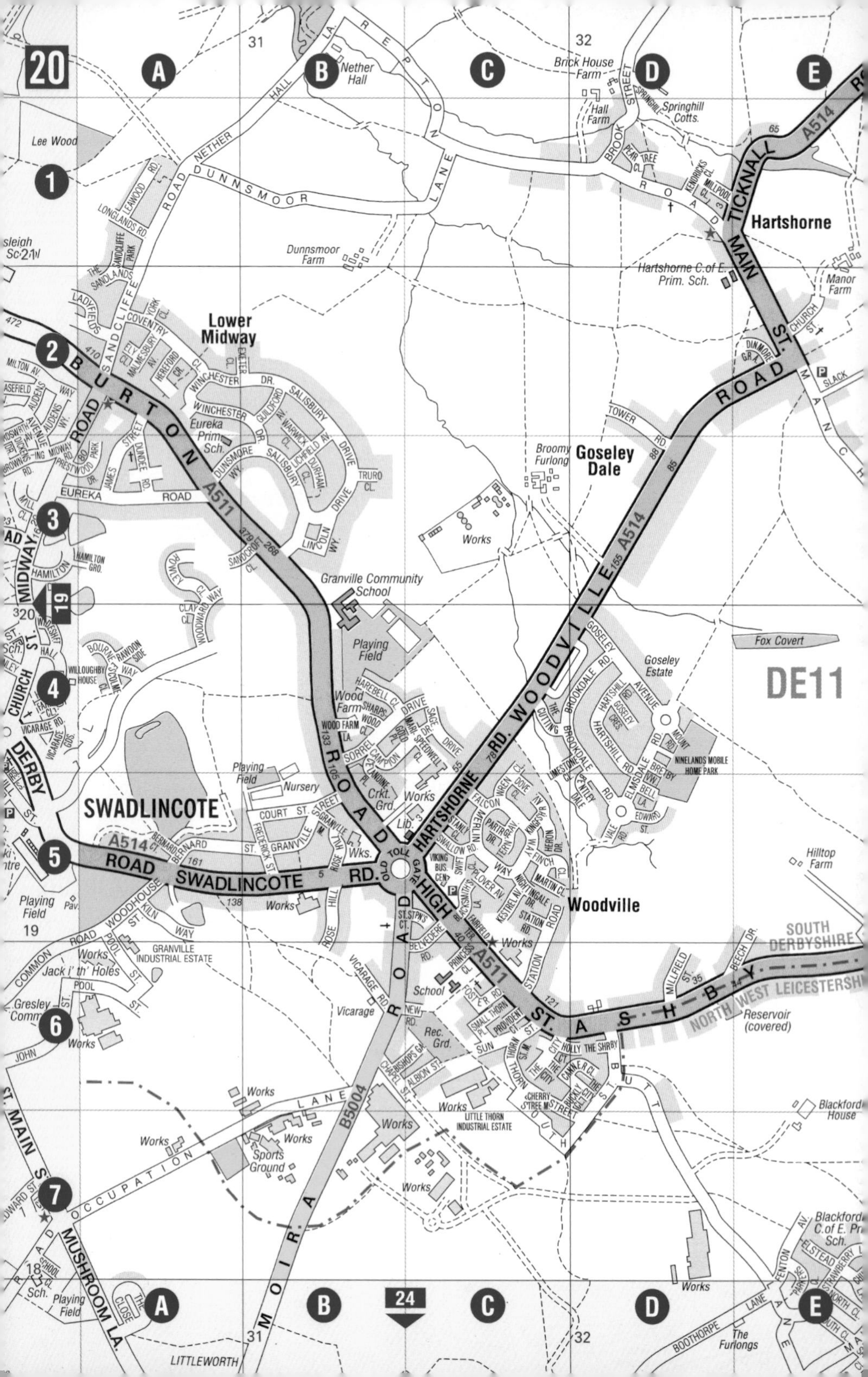
A
B
C
D
E
1
2
3
4
5
6
7
31
32
Nether Hall
Brick House Farm
Hall Farm
Springhill Cotts.
Lee Wood
REPTON LANE
NETHER HALL LA.
NETHER HALL ROAD
DUNNSMOOR LANE
BROOK STREET
SPRINGHILL
PEAR TREE CL.
KENDRICKS CL.
MILLPOOL CL.
TICKNALL ROAD
A514
Hartshorne
MAIN ST.
Hartshorne C.of E. Prim. Sch.
Manor Farm
CHURCH ST.
DINMORE GRA.
SLACK LA.
Dunnsmoor Farm
LEAWOOD RD.
LONGLANDS RD.
SANDCLIFFE PARK
THE SANDLANDS
LADYFIELDS
SANDCLIFFE ROAD
COVENTRY CL.
YORK CL.
Lower Midway
EXETER CL.
MALMESBURY AV.
HEREFORD CR.
WINCHESTER DR.
SALISBURY DRIVE
GUILDFORD AV.
WARWICK CL.
LICHFIELD AV.
DURHAM CL.
TRURO CL.
LINCOLN WY.
Eureka Prim. Sch.
DUNSMORE WY.
BURTON ROAD
A511
MILTON AV.
AUDENS WAY
MIDWAY RD.
PRESTWOOD PARK DR.
JAMES ST.
DUNDEE RD.
EUREKA ROAD
HAMILTON GRO.
MIDWAY
19
20
SANDCROFT CL.
POWLEY CL.
CLAY CL.
WOODWARD WAY
BOURNE CL.
RAWDON SIDE
WILLOUGHBY HOUSE
CHURCH ST.
VICARAGE RD.
VICARAGE GDS.
DERBY ST.
SWADLINCOTE
Granville Community School
Playing Field
Works
Broomy Furlong
Goseley Dale
TOWER RD.
WOODVILLE RD.
HARTSHORNE RD.
Fox Covert
Goseley Estate
DE11
GOSELEY AVENUE
BROOKDALE RD.
HARTSHILL RD.
GOSELEY CRES.
THE CUTTING
LIMESTONE CL.
BENTLEY DALE
ELMSDALE RD.
MOUNT RD.
BRETBY VW.
BELL LA.
EDWARD ST.
VALE RD.
NINELANDS MOBILE HOME PARK
Hilltop Farm
Wood Farm
HAREBELL CL.
SHARPS WOOD
WOOD FARM LA.
SORREL CL.
CAMPION PL.
CELANDINE PL.
SPEEDWELL CL.
SAGE DRIVE
Crkt. Grd.
Lib.
Playing Field
Nursery
COURT ST.
FREDERICK ST.
GRANVILLE ST.
ROSE HILL
Wks.
OLD TOLL GATE
A514
ROAD
SWADLINCOTE RD.
BERNARD ST.
HIGH ST.
FALCON WAY
WREN CL.
DOVE CL.
MERLIN WAY
PARTRIDGE DR.
TERN WAY
KINGSFISHER AV.
HERON DR.
FINCH CL.
MARTIN CL.
NIGHTINGALE DR.
STATION RD.
STATION ROAD
KESTREL AV.
PLOVER AV.
SWIFT CL.
SWALLOW RD.
STANLEY ST.
VIKING BUS. CEN.
BLACKSMITH'S LA.
FAIRFIELD TER.
Woodville
SOUTH DERBYSHIRE
NORTH WEST LEICESTERSHIRE
ASHBY RD.
MILLFIELD ST.
BEECH DR.
Reservoir (covered)
Playing Field
Pav.
WOODHOUSE ST.
KILN WAY
COMMON ROAD
POOL ST.
GRANVILLE INDUSTRIAL ESTATE
Jack i' th' Holes
Gresley Common
JOHN ST.
VICARAGE RD.
Vicarage
NEW RD.
School
PRINCESS CL.
BELVEDERE RD.
ST. STEPHEN'S CT.
FOSTER RD.
Rec. Grd.
SMALL THORN PL.
PROVIDENT CT.
SUN ST.
THORN ST.
THE CITY
CANNER CL.
HOLLY CT.
THE SHRUBBERY
BUCKLEY CL.
CHERRY ST.
SOUTH ST.
BUTT LA.
Blackford House
LITTLE THORN INDUSTRIAL ESTATE
ALBON ST.
CHAPEL ST.
BISHOPS GA.
B5004
MOIRA ROAD
OCCUPATION LANE
Sports Ground
MAIN ST.
MUSHROOM LA.
SCHOOL CL.
Sch.
Playing Field
THE CLOSE
LITTLEWORTH
24
Blackfordby C.of E. Prim. Sch.
ELSTEAD LA.
STRAWBERRY LA.
NORTH CL.
SOUTH CL.
FENTON AV.
PARKES CL.
BOOTHORPE LANE
The Furlongs
18
1

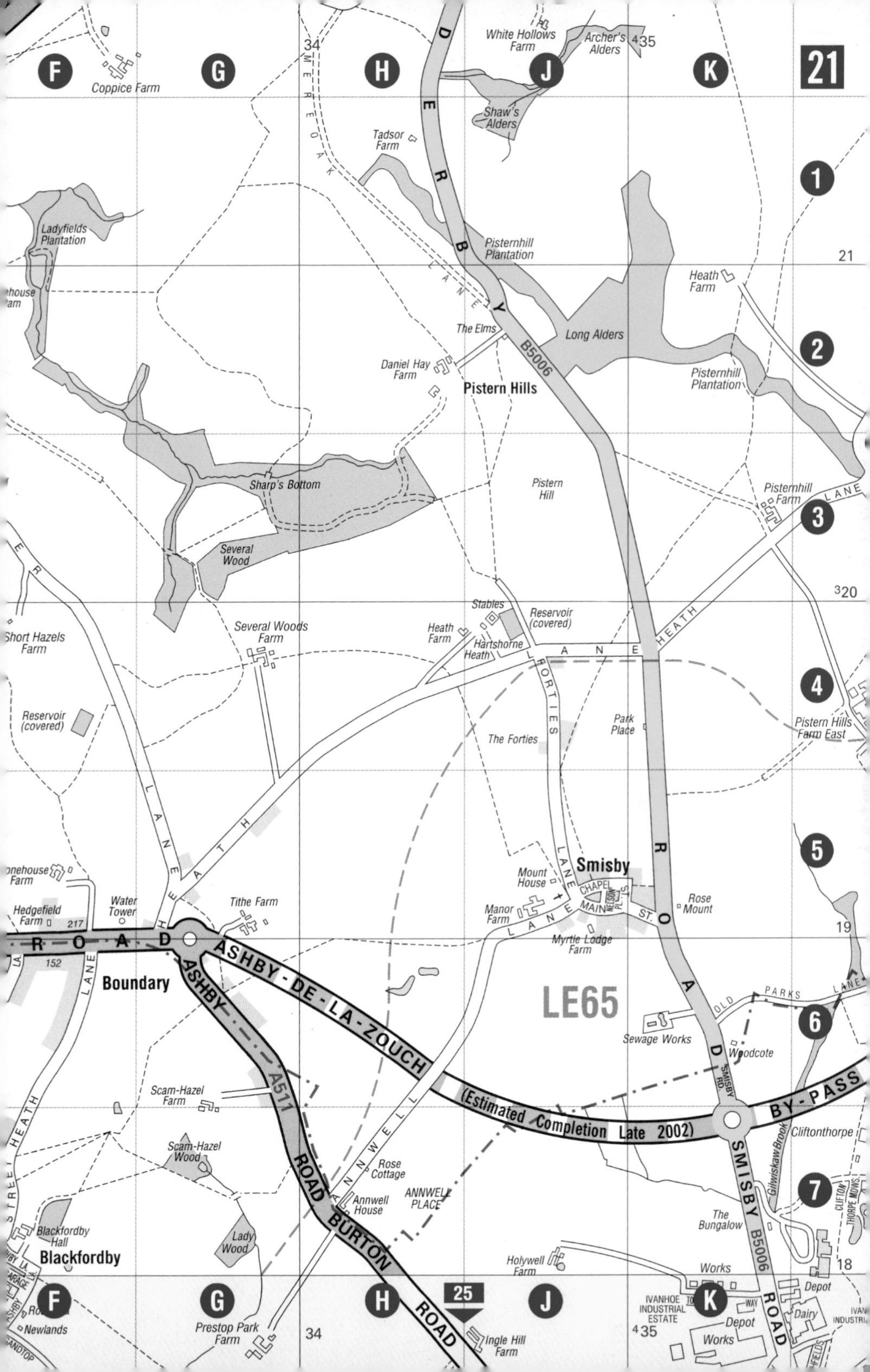

Coppice Farm
White Hollows Farm
Archer's Alders
Shaw's Alders
Tadsor Farm
MERE OAK LANE
DERBY ROAD
B5006
Ladyfields Plantation
Pisternhill Plantation
Heath Farm
The Elms
Long Alders
Daniel Hay Farm
Pistern Hills
Pisternhill Plantation
Pistern Hill
Sharp's Bottom
Pisternhill Farm
Several Wood
Stables
Reservoir (covered)
Several Woods Farm
Heath Farm
Hartshorne Heath
HEATH LANE
Short Hazels Farm
Reservoir (covered)
FORTIES LANE
The Forties
Park Place
Pistern Hills Farm East
Smisby
Mount House
CHAPEL
NELSON PL.
MAIN ST.
Rose Mount
Manor Farm
Myrtle Lodge Farm
Hedgefield Farm
Water Tower
Tithe Farm
ROAD
Boundary
ASHBY-DE-LA-ZOUCH
ASHBY
A511
LE65
OLD PARKS LANE
Sewage Works
Woodcote
SMISBY RD.
(Estimated Completion Late 2002)
BY-PASS
Scam-Hazel Farm
Scam-Hazel Wood
ANNWELL LANE
Rose Cottage
Annwell House
ANNWELL PLACE
Cliftonthorpe
Gilwiskaw Brook
CLIFTON THORPE MEWS
SMISBY ROAD
ROAD BURTON ROAD
Blackfordby Hall
Blackfordby
Lady Wood
Holywell Farm
The Bungalow
Works
Depot
IVANHOE INDUSTRIAL ESTATE
Dairy
Depot
Works
Prestop Park Farm
Newlands
Ingle Hill Farm
25
F G H J K
1 2 3 4 5 6 7
21 20 19 18
34 435

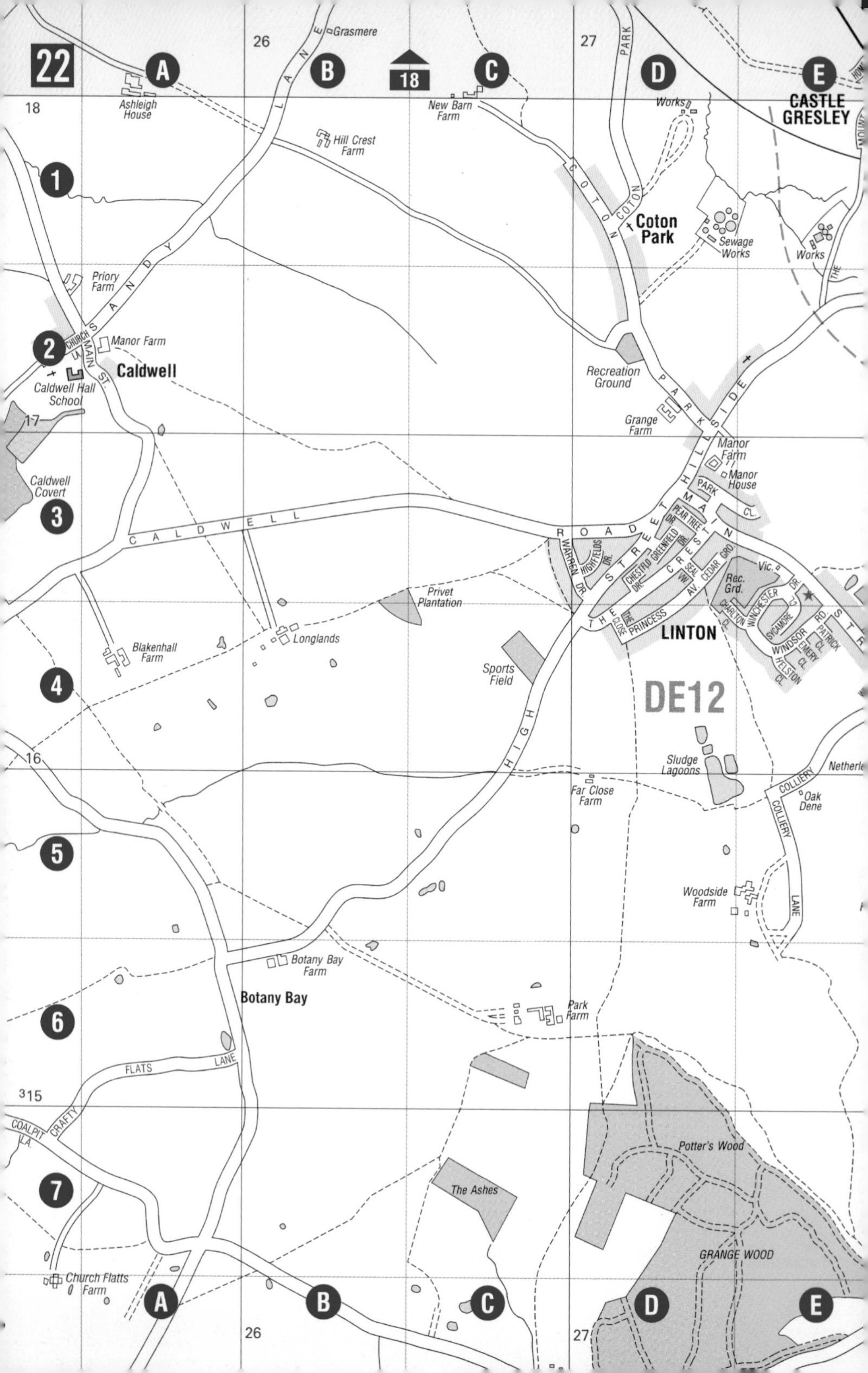

22

A B 18 C D E

18

Ashleigh House

Grasmere

New Barn Farm

Works

CASTLE GRESLEY

1

Hill Crest Farm

Coton Park

Sewage Works

Works

Priory Farm

Recreation Ground

2

Manor Farm

Caldwell

Caldwell Hall School

17

Grange Farm

Manor Farm

Manor House

Caldwell Covert

3

C A L D W E L L

WARREN DR
FAR TREE
BRESFIELD
CHESTED
GRO
THE STREET
Rec. Grd.
Vic.

4

Blakenhall Farm

Longlands

Privet Plantation

Sports Field

PRINCESS

LINTON

DE12

16

Sludge Lagoons

Far Close Farm

Netherle

Oak Dene

COLLIERY

5

Woodside Farm

COLLIERY LANE

6

Botany Bay Farm

Botany Bay

Park Farm

3 15

FLATS LANE

COALPIT LA
CRAFTY

Potter's Wood

7

The Ashes

Church Flatts Farm

A B C D E

GRANGE WOOD

26 · 27

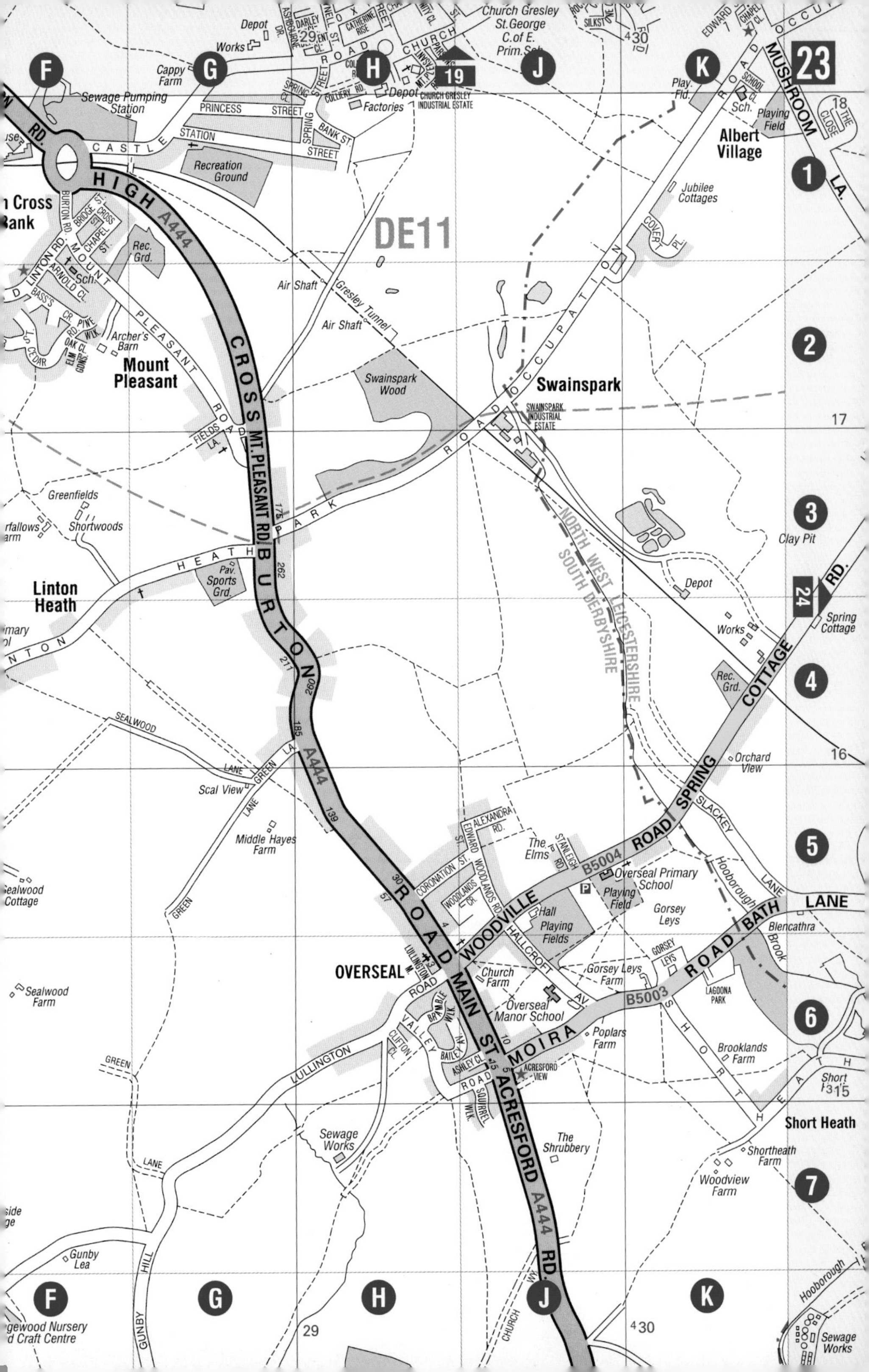
F
G
H
J
K
Depot
Works
Cappy Farm
Church Gresley St.George C.of E. Prim.Sch.
19
Sewage Pumping Station
PRINCESS STREET
STATION STREET
SPRING STREET
BANK ST.
COLLIERY RD.
Depot
Factories
CHURCH GRESLEY INDUSTRIAL ESTATE
CASTLE
Recreation Ground
HIGH A444
CROSS
DE11
Albert Village
Jubilee Cottages
MUSHROOM LA.
Playing Field
Play. Fld.
Sch.
COVERT PL.
Rec. Grd.
BURTON RD.
LINTON RD.
MOUNT PLEASANT ROAD
Mount Pleasant
Archer's Barn
Air Shaft
Gresley Tunnel
Swainspark Wood
Swainspark
SWAINSPARK INDUSTRIAL ESTATE
OCCUPATION ROAD
PARK ROAD
17
MT. PLEASANT RD
BURTON ROAD
Greenfields
Shortwoods
Linton Heath
HEATH
Pav. Sports Grd.
LINTON
NORTH WEST LEICESTERSHIRE
SOUTH DERBYSHIRE
Clay Pit
Depot
Works
24
Spring Cottage
SPRING COTTAGE RD.
Rec. Grd.
16
Orchard View
SEALWOOD LANE
GREEN LA.
Scal View
Middle Hayes Farm
A444
ALEXANDRA RD.
EDWARD ST.
CORONATION ST.
The Elms
STANLEIGH RD.
B5004
WOODVILLE ROAD
Overseal Primary School
Playing Field
SLACKEY LANE
Hooborough
Gorsey Leys
LANE
BATH ROAD
Blencathra
Brook
Sealwood Cottage
WOODLANDS CR.
WOODLANDS RD.
Hall Playing Fields
HALLCROFT AV.
OVERSEAL
LULLINGTON ROAD
Church Farm
Gorsey Leys Farm
GORSEY LEYS
LAGOONA PARK
Sealwood Farm
MAIN ST.
Overseal Manor School
B5003
MOIRA ROAD
Poplars Farm
VALLEY ROAD
BRAMBLE WLK.
BAILEY AV.
ASHLEY CL.
CLIFTON CL.
LULLINGTON
SQUIRREL WLK.
ACRESFORD VIEW
Brooklands Farm
SHORT HEATH
Short Heath
GREEN
Sewage Works
ACRESFORD A444 RD.
The Shrubbery
Shortheath Farm
Woodview Farm
1
2
3
4
5
6
7
LANE
GUNBY HILL
Gunby Lea
CHURCH WY.
29
430
Hooborough
Sewage Works
Cross Bank
Linton Heath

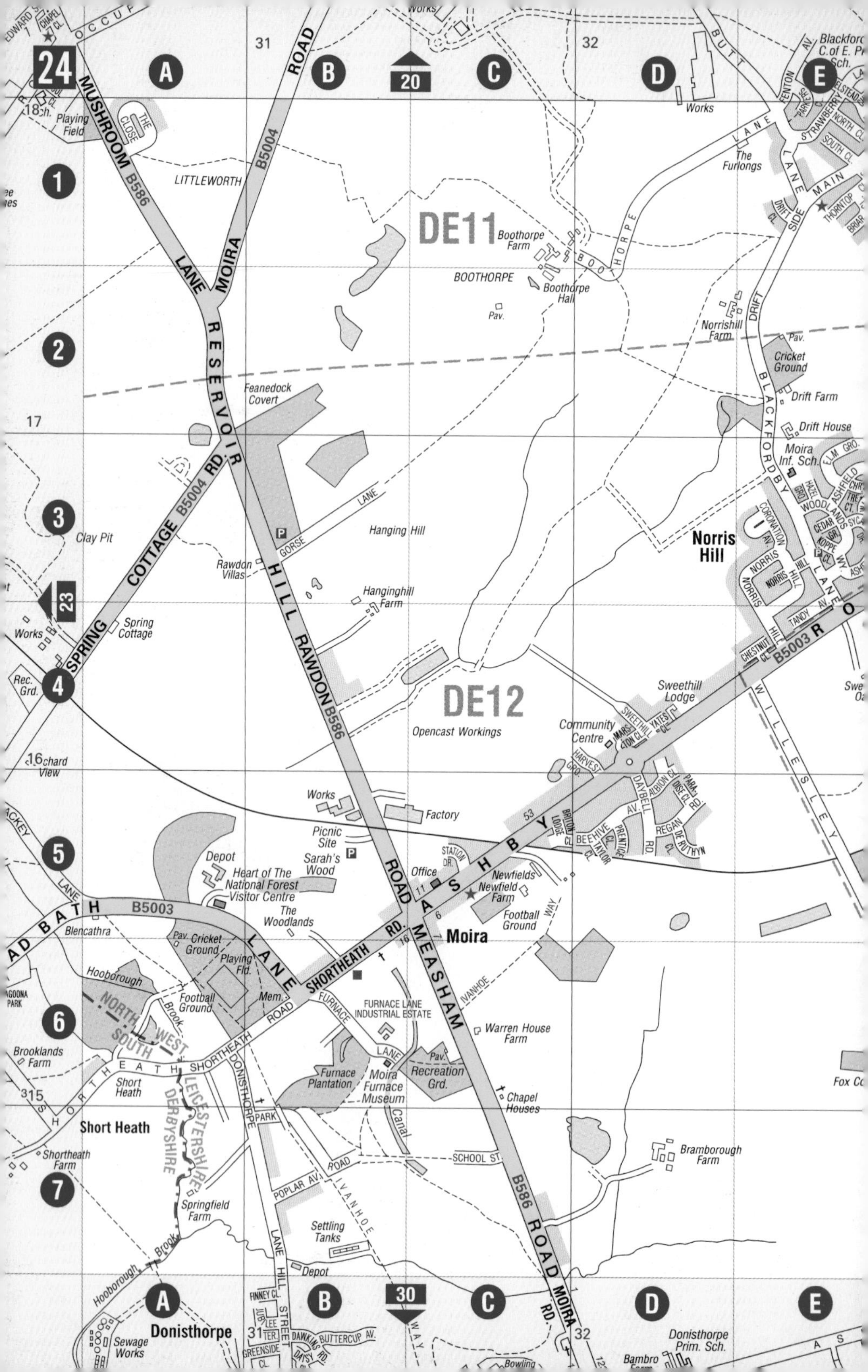

20
23
30
DE11
DE12
Playing Field
LITTLEWORTH
MUSHROOM LANE B586
MOIRA ROAD B5004
RESERVOIR HILL
Boothorpe Farm
BOOTHORPE
Boothorpe Hall
BOOTHORPE LANE
Pav.
Works
The Furlongs
Norrishill Farm
Cricket Ground
Drift Farm
Drift House
Moira Inf. Sch.
BLACKFORDBY LANE
Norris Hill
Feanedock Covert
Clay Pit
SPRING COTTAGE RD. B5004
Hanging Hill
GORSE LANE
Rawdon Villas
Hanginghill Farm
Spring Cottage
Works
Rec. Grd.
RAWDON B586
Opencast Workings
Sweethill Lodge
Community Centre
ASHBY ROAD B5003
WILLESLEY
Works
Factory
Picnic Site
Sarah's Wood
Depot
Heart of The National Forest Visitor Centre
Office
Newfields
Newfield Farm
Football Ground
The Woodlands
Moira
BATH LANE B5003
Blencathra
Cricket Ground
Playing Fld.
Hooborough
Football Ground
Mem.
SHORTHEATH RD.
MEASHAM ROAD
FURNACE LANE INDUSTRIAL ESTATE
Warren House Farm
Recreation Grd.
Furnace Plantation
Moira Furnace Museum
Canal
Chapel Houses
Brooklands Farm
Short Heath
Shortheath Farm
LEICESTERSHIRE
DERBYSHIRE
Springfield Farm
Settling Tanks
SCHOOL ST.
POPLAR AV.
IVANHOE WAY
Bramborough Farm
Depot
B586 ROAD
MOIRA RD.
Donisthorpe
Sewage Works
Donisthorpe Prim. Sch.
Fox Co

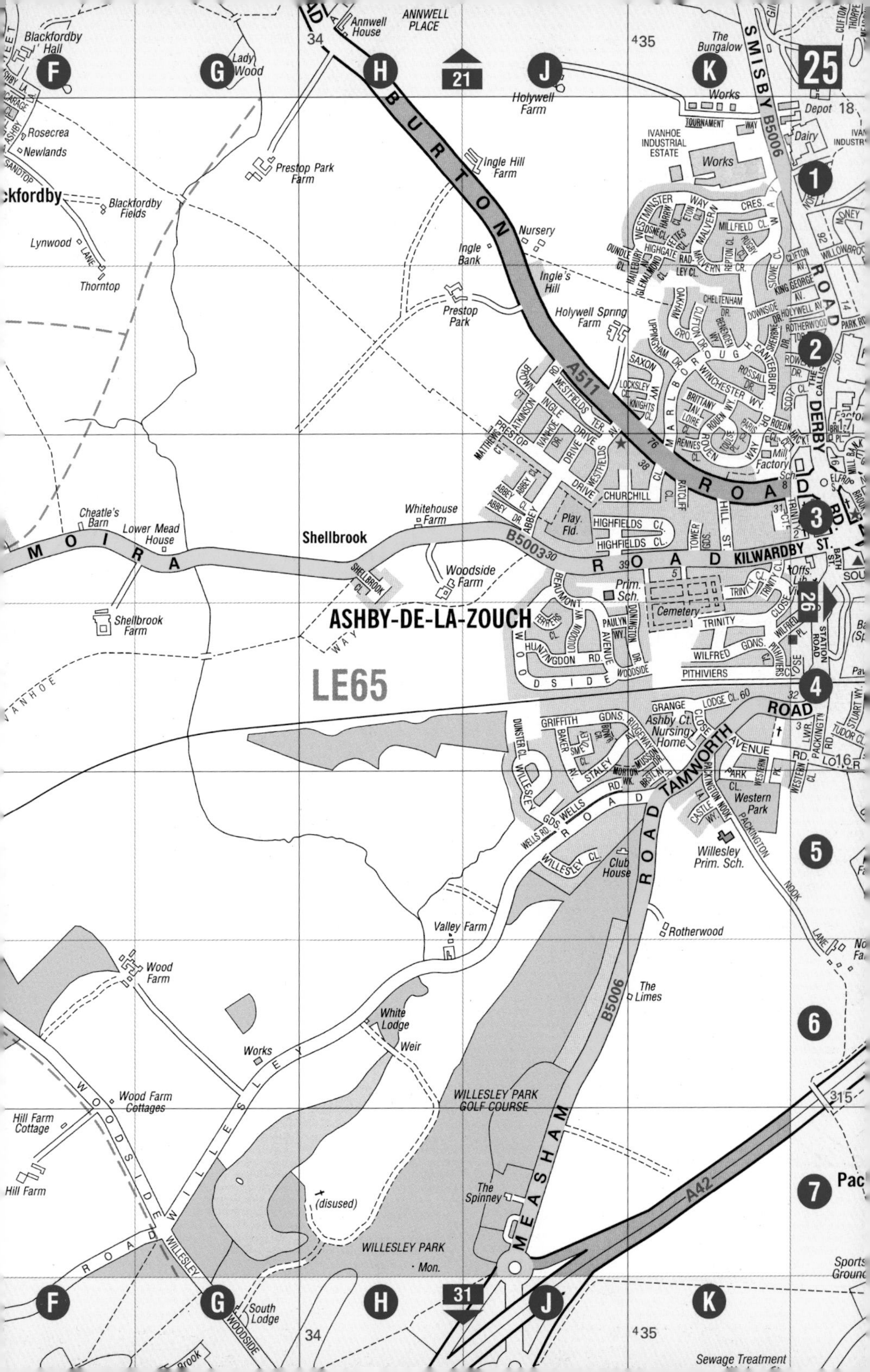

25
21
26
31
F
G
H
J
K
1
2
3
4
5
6
7
34
435
Blackfordby Hall
Lady Wood
Annwell House
ANNWELL PLACE
The Bungalow
Holywell Farm
Works
Depot
Dairy
TOURNAMENT
WAY
IVANHOE INDUSTRIAL ESTATE
SMISBY B5006
Rosecrea
Newlands
Prestop Park Farm
Ingle Hill Farm
Blackfordby Fields
Lynwood
LANE
Thorntop
BURTON
Nursery
Ingle Bank
Ingle's Hill
Prestop Park
Holywell Spring Farm
WESTMINSTER
WAY
CRES.
MILLFIELD CL.
MALVERN
HIGHCATE
OAKHAM
CHELTENHAM
UPPINGHAM
SAXON
A511
WESTFIELDS
INGLE
DRIVE
PRESTOP
MATTHEWS CT.
ATKINSON
ABBEY
CHURCHILL
RATCLIFF
HILL ST.
TOWER GDS.
Play Fld.
HIGHFIELDS CL.
HIGHFIELDS CL.
MARLBOROUGH
WINCHESTER WY.
CANTERBURY
BRITTANY AV.
LOIRE
ROUEN
RENNES
PARIS
TOULOUSE CL.
ROSSALL DR.
DOWNSIDE
KING GEORGE AV.
HOLYWELL AV.
ROTHERWOOD
DERBY
ROAD
PARK RD.
Mill Factory
Sch.
TRINITY
Cheatle's Barn
Lower Mead House
Whitehouse Farm
Shellbrook
MOIRA
ROAD
B5003
KILWARDBY ST.
SHELLBROOK CL.
Woodside Farm
Shellbrook Farm
ASHBY-DE-LA-ZOUCH
BEAUMONT
FERRERS CL.
LOUDOUN WY.
PAULYN WY.
DONINGTON DR.
Prim. Sch.
Cemetery
TRINITY
HUNTINGDON RD.
AVENUE
WOODSIDE
WILFRED GDNS.
PITHIVIERS
CLOSE
STATION ROAD
WAY
IVANHOE
LE65
GRANGE
LODGE CL.
Ashby Ct. Nursing Home
ROAD
GRIFFITH GDNS.
BAKER
RIDGEWAY
DUNSTER CL.
WILLESLEY
STALEY
MORTON
MUSSON
TAMWORTH
AVENUE
WESTERN
PARK
Western Park
CASTLE WY.
PACKINGTON NOOK
PACKINGTON
LWR. PACKINGTON RD.
TUDOR CL.
STUART WY.
WELLS RD.
WELLS
ROAD
WILLESLEY CL.
Club House
Willesley Prim. Sch.
NOOK
LANE
Rotherwood
Valley Farm
Wood Farm
The Limes
B5006
White Lodge
Weir
Works
Wood Farm Cottages
WOODSIDE
WILLESLEY
Hill Farm Cottage
WILLESLEY PARK GOLF COURSE
MEASHAM
ROAD
A42
315
Hill Farm
The Spinney
(disused)
WILLESLEY PARK
Mon.
ROAD
WILLESLEY
South Lodge
WOODSIDE
Sports Ground
Sewage Treatment
Brook

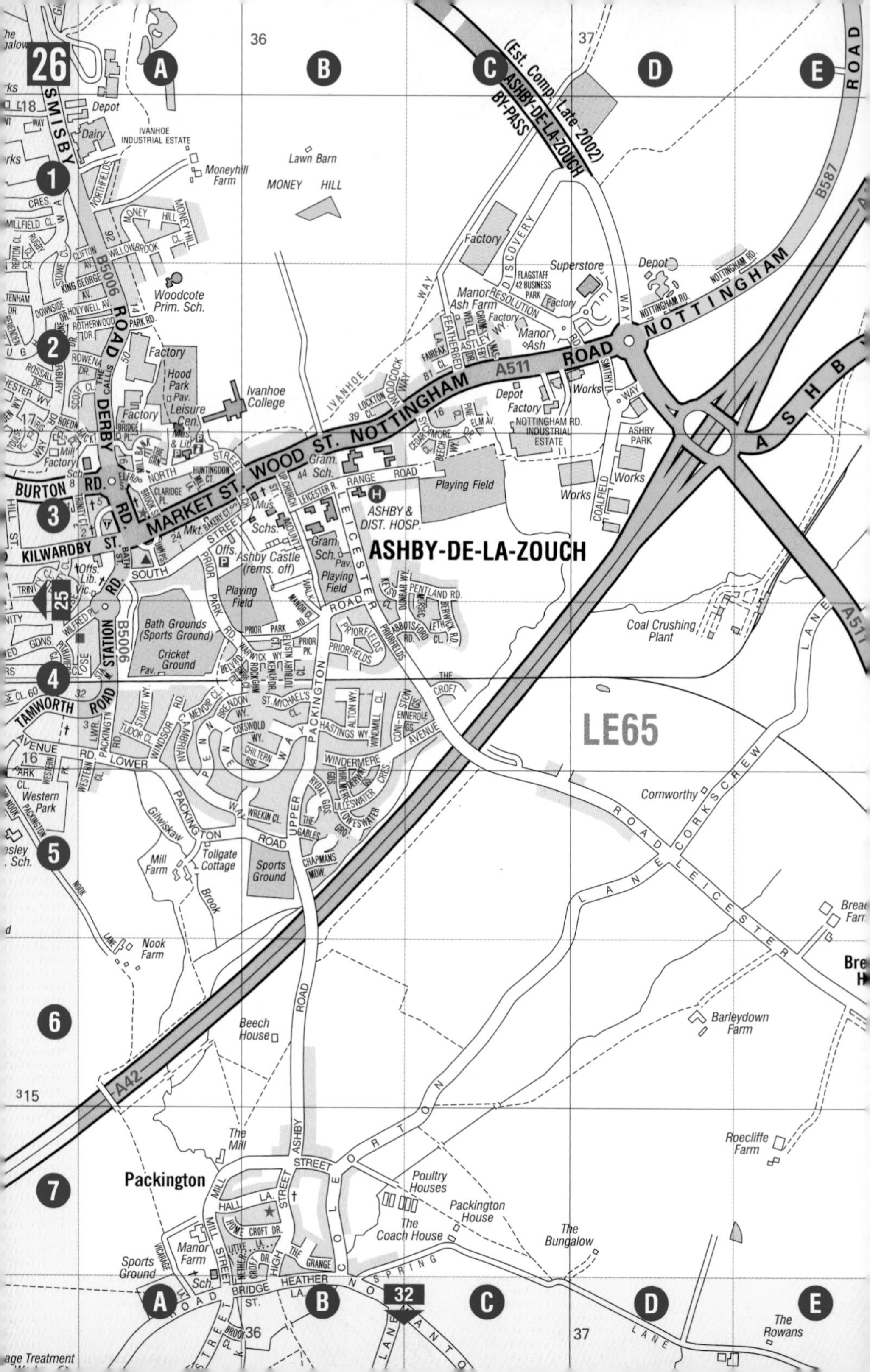

36
37
A
B
C
D
E
1
2
3
4
5
6
7
(Est. Comp. Late 2002)
ASHBY-DE-LA-ZOUCH BY-PASS
SMISBY
Depot
Dairy
IVANHOE INDUSTRIAL ESTATE
Lawn Barn
Moneyhill Farm
MONEY HILL
NORTHFIELDS
MONEY HILL
MONEY HILL CL.
WILLOWBROOK
MILLFIELD CL.
CRES.
RUGBY
REPTON CL.
CLIFTON AV.
STOWE CL.
KING GEORGE AV.
B5006
Woodcote Prim. Sch.
DOWNSIDE
HOLYWELL AV.
ROTHERWOOD DR.
PARK RD.
ROAD
Factory
Hood Park Pav.
Leisure Cen.
Ivanhoe College
ROWENA DR.
ROSSALL DR.
THE CALLIS
DERBY
SCOTT CL.
IRIS
ROEDEN
WAY
Mill Factory
Mus. & Lib.
BRIDGE PL.
MILL BANK
THE GRN.
NORTH
STREET
HUNTINGDON CT.
BURTON
RD.
CLARIDGE PL.
BROOK ST.
MARKET ST.
WOOD ST.
NOTTINGHAM
ROAD
A511
KILWARDBY ST.
TRINITY CL.
BATH ST.
Mkt.
BAKERY CT.
Offs.
Ashby Castle (rems. off)
SOUTH
Offs. Lib. Vic.
25
WILFRED PL.
STATION
B5006
Bath Grounds (Sports Ground)
Cricket Ground
Pav.
PRIOR PARK RD.
Playing Field
Gram. Sch.
Mus.
Schs.
UPPER CHURCH ST.
LEICESTER R.
RANGE ROAD
ASHBY & DIST. HOSP.
Playing Field
ASHBY-DE-LA-ZOUCH
MOUNT WALK
MANOR CL.
PRIORFIELDS
ROAD
LEICESTER
KELSO CL.
DUNBAR WY.
PENTLAND RD.
ABBOTSFORD RD.
BERWICK RD.
LETH CL.
GDNS.
PITHIVIERS CLOSE
TAMWORTH ROAD
STUART WY.
TUDOR CL.
LWR. PACKINGTON RD.
WINDSOR RD.
CAMBRIAN
MENDIP CL.
BRENDON WY.
PENNINE WAY
COTSWOLD WY.
CHILTERN RSE.
WREKIN CL.
ST. MICHAEL'S CL.
KENILWORTH CT.
TUTBURY CL.
PRIOR PK.
PACKINGTON
HASTINGS WY.
ALTON WY.
WINDMILL CL.
CONISTON GS.
ENNERDALE GS.
AVENUE
THE CROFT
WINDERMERE
ULLESWATER
LOWESWATER
RYDAL GDS.
THE GABLES
CHAPMANS MDW.
UPPER
ROAD
Sports Ground
AVENUE
LOWER
WESTERN
PARK CL.
Western Park
Gilwiskaw
Mill Farm
Tollgate Cottage
Brook
NOOK
LANE
Nook Farm
LE65
Cornworthy
CORKSCREW
LANE
LEICESTER
ROAD
Factory
DISCOVERY
WAY
Superstore
FLAGSTAFF 42 BUSINESS PARK
Factory
Depot
NOTTINGHAM RD.
Manor Ash Farm
RESOLUTION
Manor Ash
FAIRFAX
FEATHERBED LA.
ASTLEY
IVANHOE
LOCKTON CL.
WOODCOCK WAY
SYCAMORE
CEDAR
BEECH
ELM AV.
PINE DR.
Depot
Factory
NOTTINGHAM RD. INDUSTRIAL ESTATE
Works
Works
Works
SMITHY LA.
WAY
ASHBY PARK
Works
COALFIELD
Playing Field
NOTTINGHAM
ROAD
B587
ASHBY
A511
Coal Crushing Plant
LANE
A42
Beech House
ASHBY ROAD
ORTON
LANE
Barleydown Farm
Roecliffe Farm
The Mill
Packington
MILL
STREET
HALL LA.
HOME CROFT DR.
LITTLE LA.
CROFT DR.
HIGH
THE GRANGE
COLEORTON
Poultry Houses
Packington House
The Coach House
The Bungalow
Manor Farm
Sports Ground
VICARAGE
Sch.
HEATHER
LA.
BRIDGE
ROAD
ST.
SPRING
32
LANE
LANE
The Rowans
315

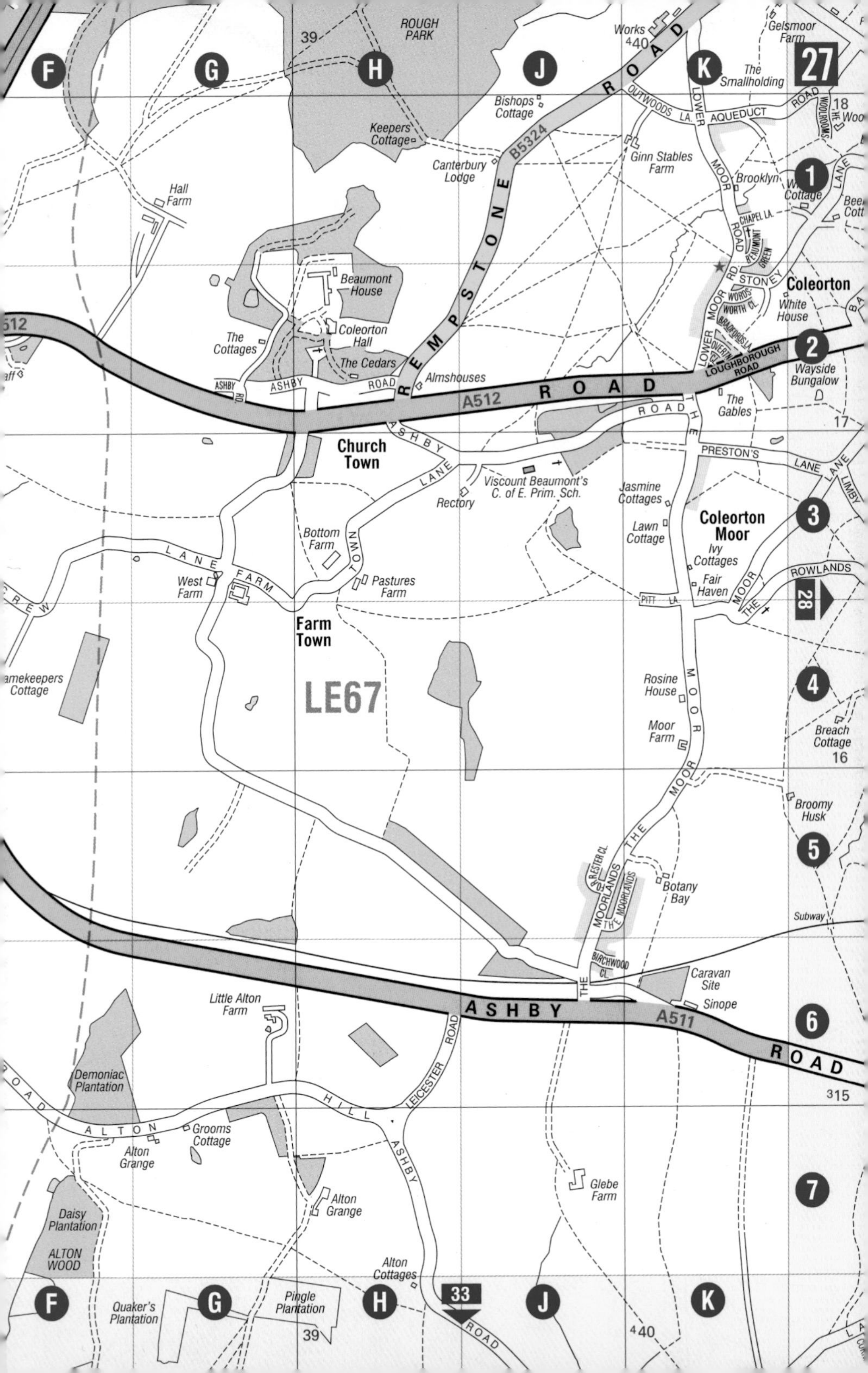
ROUGH PARK
Works
Gelsmoor Farm
The Smallholding
Bishops Cottage
OUTWOODS LA.
AQUEDUCT ROAD
LOWER MOOR ROAD
Keepers Cottage
B5324
REMPSTONE ROAD
Ginn Stables Farm
Canterbury Lodge
Brooklyn
Hall Farm
CHAPEL LA.
BEAUMONT GREEN
Beaumont House
STONEY
Coleorton
White House
Coleorton Hall
The Cottages
The Cedars
LOUGHBOROUGH ROAD
Wayside Bungalow
ASHBY RD.
ASHBY ROAD
Almshouses
A512 ROAD
The Gables
ROAD
Church Town
ASHBY LANE
PRESTON'S LANE
LIMBY
Viscount Beaumont's C. of E. Prim. Sch.
Rectory
Jasmine Cottages
Coleorton Moor
Bottom Farm
Lawn Cottage
Ivy Cottages
ROWLANDS
West Farm
FARM LANE
TOWN
Pastures Farm
Fair Haven
PITT LA.
THE MOOR
28
Farm Town
Gamekeepers Cottage
LE67
Rosine House
Moor Farm
Breach Cottage
THE MOOR
Broomy Husk
MOORLANDS
THE MOORLANDS
Botany Bay
Subway
BIRCHWOOD CL.
Caravan Site
Little Alton Farm
Sinope
ASHBY A511 ROAD
LEICESTER ROAD
Demoniac Plantation
ALTON HILL
ASHBY
Grooms Cottage
Alton Grange
Glebe Farm
Daisy Plantation
ALTON WOOD
Alton Cottages
33
Quaker's Plantation
Pingle Plantation
ROAD

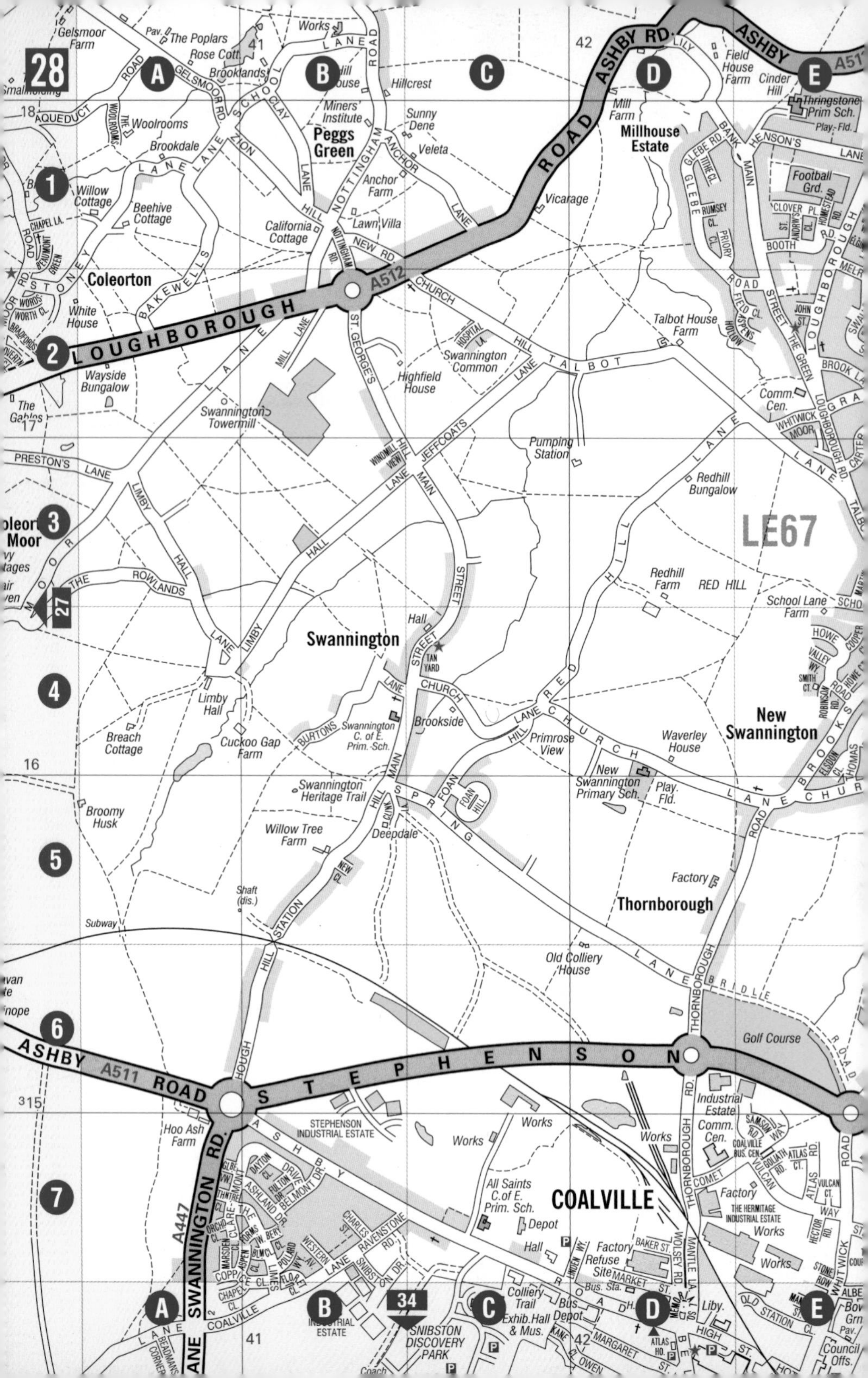
Peggs Green
Coleorton
Swannington
New Swannington
Thornborough
COALVILLE
Millhouse Estate
LE67
LOUGHBOROUGH
A512
ASHBY ROAD
A511
STEPHENSON
SWANNINGTON RD.
A447
Gelsmoor Farm
The Poplars
Rose Cott.
Brooklands
Works
Hillcrest
Miners' Institute
Sunny Dene
Veleta
Woolrooms
Brookdale
Willow Cottage
Beehive Cottage
Anchor Farm
Lawn Villa
California Cottage
Vicarage
Mill Farm
Field House Farm
Cinder Hill
Thringstone Prim Sch.
Football Grd.
White House
Wayside Bungalow
The Gables
Swannington Towermill
Highfield House
Swannington Common
Talbot House Farm
Comm. Cen.
Pumping Station
Redhill Bungalow
Redhill Farm
RED HILL
School Lane Farm
Limby Hall
Cuckoo Gap Farm
Breach Cottage
Swannington C. of E. Prim. Sch.
Brookside
Primrose View
Waverley House
New Swannington Primary Sch.
Play. Fld.
Broomy Husk
Swannington Heritage Trail
Willow Tree Farm
Deepdale
Factory
Shaft (dis.)
Subway
Old Colliery House
Golf Course
Hoo Ash Farm
STEPHENSON INDUSTRIAL ESTATE
Works
All Saints C. of E. Prim. Sch.
Depot
Hall
Industrial Estate
Comm. Cen.
THE HERMITAGE INDUSTRIAL ESTATE
Refuse Site
Colliery Trail
Bus Depot
Exhib. Hall & Mus.
Liby.
SNIBSTON DISCOVERY PARK
Council Offs.
34
27

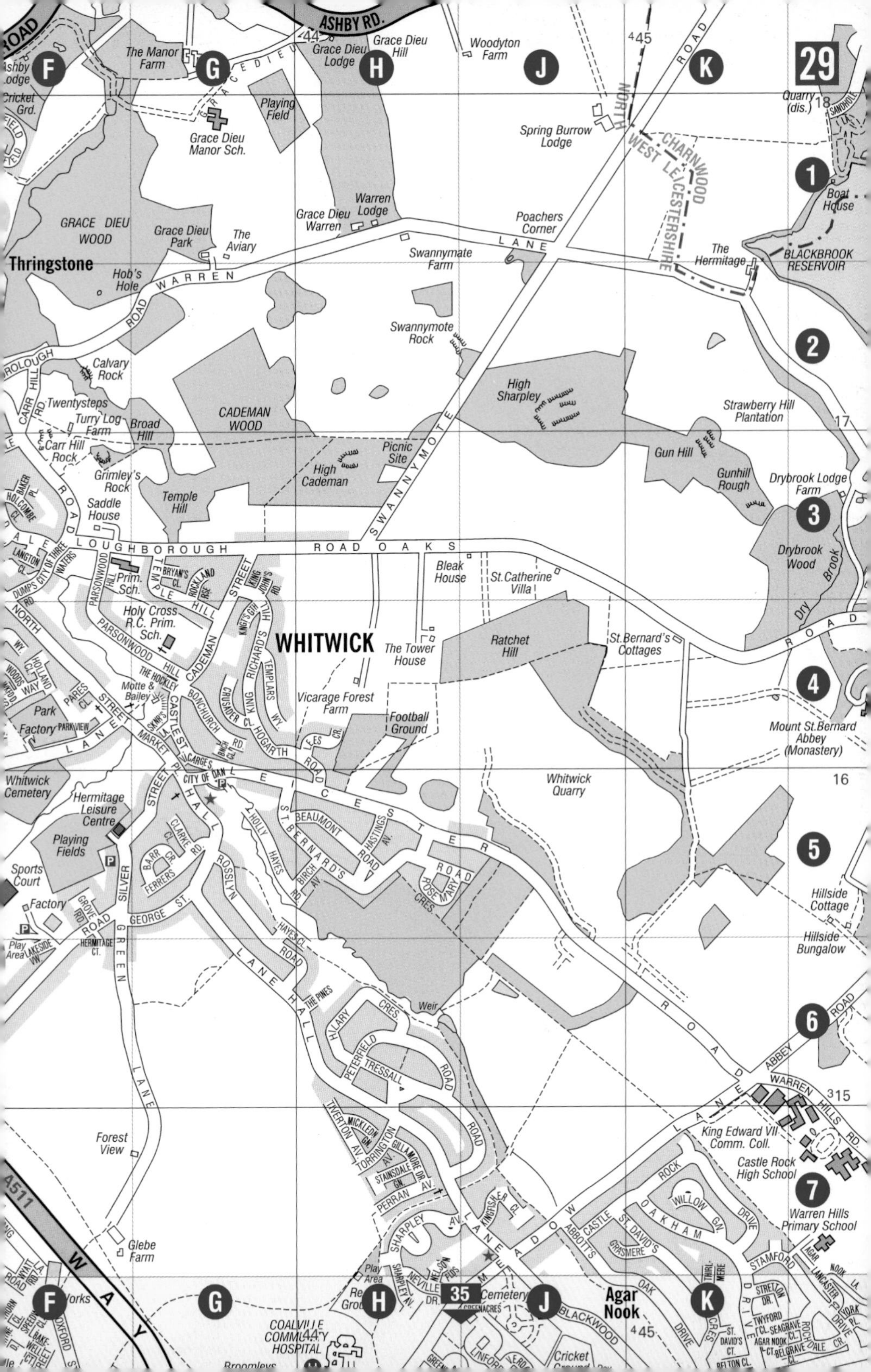

ASHBY RD.
GRACE DIEU
The Manor Farm
Grace Dieu Lodge
Grace Dieu Hill
Woodyton Farm
Ashby Lodge
Cricket Grd.
Playing Field
Grace Dieu Manor Sch.
Spring Burrow Lodge
NORTH WEST LEICESTERSHIRE
CHARNWOOD
Quarry (dis.)
Boat House
GRACE DIEU WOOD
Grace Dieu Park
The Aviary
Grace Dieu Warren
Warren Lodge
Poachers Corner
Swannymate Farm
The Hermitage
BLACKBROOK RESERVOIR
Thringstone
Hob's Hole
WARREN LANE
ROAD
Swannymote Rock
Calvary Rock
Twentysteps
Turry Log Farm
Broad Hill
CADEMAN WOOD
High Sharpley
Strawberry Hill Plantation
Carr Hill Rock
Grimley's Rock
High Cademan
Picnic Site
SWANNYMOTE
Gun Hill
Gunhill Rough
Drybrook Lodge Farm
Saddle House
Temple Hill
LOUGHBOROUGH ROAD
OAKS ROAD
Drybrook Wood
Dry Brook
Bleak House
St.Catherine Villa
Prim. Sch.
Holy Cross R.C. Prim. Sch.
WHITWICK
The Tower House
Ratchet Hill
St.Bernard's Cottages
Mount St.Bernard Abbey (Monastery)
Motte & Bailey
Park
Factory
Vicarage Forest Farm
Football Ground
Whitwick Cemetery
Whitwick Quarry
Hermitage Leisure Centre
LEICESTER ROAD
Playing Fields
Sports Court
Factory
Play Area
Hillside Cottage
Hillside Bungalow
Weir
ABBEY ROAD
WARREN HILLS RD.
King Edward VII Comm. Coll.
Castle Rock High School
Forest View
Warren Hills Primary School
Glebe Farm
A511
WAY
Play Area
Cemetery
Agar Nook
COALVILLE COMMUNITY HOSPITAL
Cricket

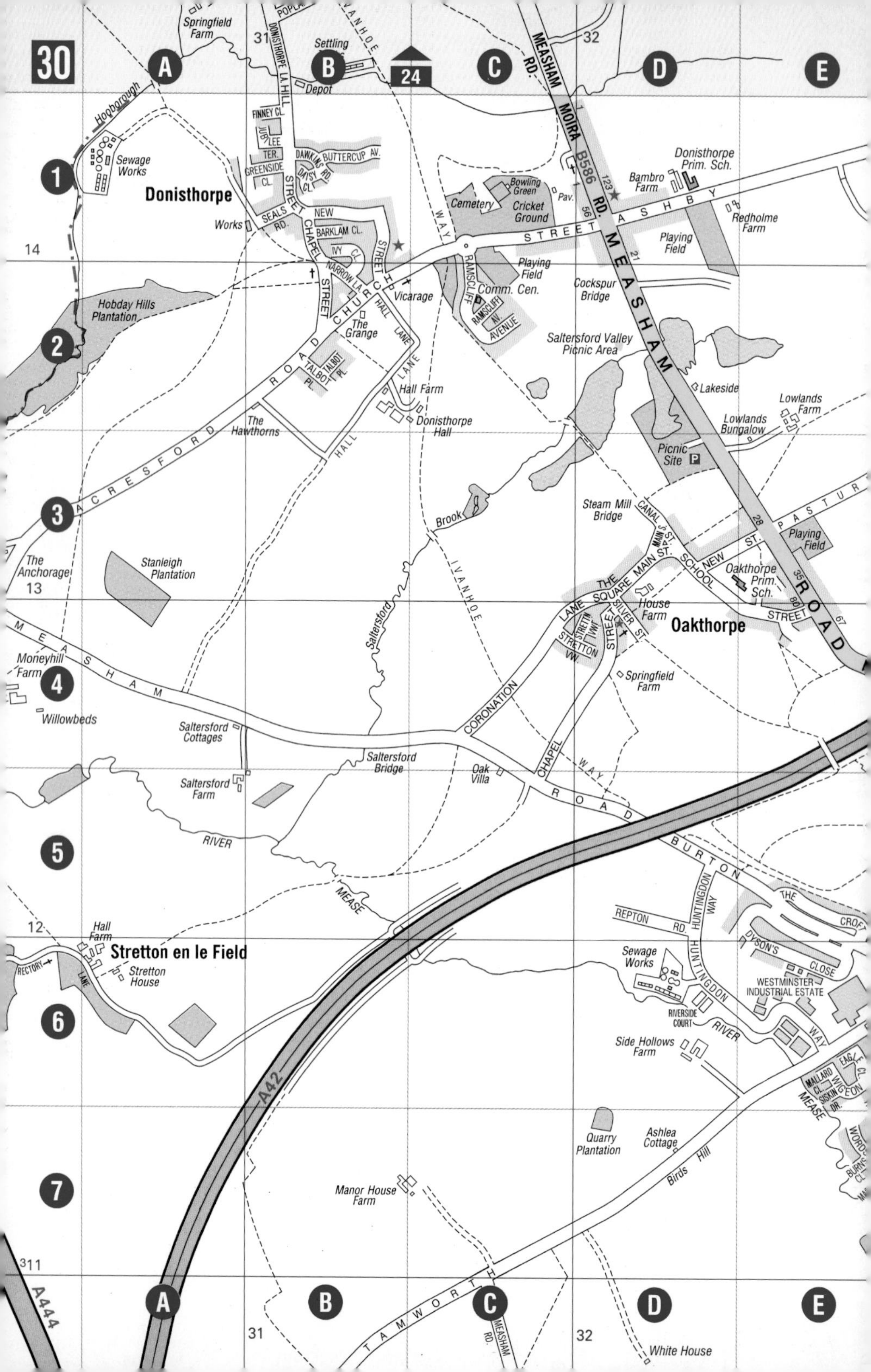
24
A
B
C
D
E
1
2
3
4
5
6
7
31
32
14
13
12
311
Springfield Farm
Settling
Depot
DONISTHORPE LA. HILL
IVANHOE
MEASHAM RD.
MOIRA RD.
B586
MEASHAM
Hooborough
Sewage Works
Donisthorpe
FINNEY CL.
JUB. LEE TER.
GREENSIDE CL.
DAWKINS RD.
DAISY CL.
BUTTERCUP AV.
SEALS RD.
NEW
BARKLAM CL.
IVY CL.
NARROW LA.
CHAPEL STREET
STREET
Works
Cemetery
Bowling Green
Cricket Ground
Pav.
WAY
ASHBY STREET
Donisthorpe Prim. Sch.
Bambro Farm
Redholme Farm
Playing Field
Vicarage
RAMSCLIFF
RAMSCLIFF AV.
AVENUE
Comm. Cen.
Cockspur Bridge
Hobday Hills Plantation
CHURCH
HALL LANE
The Grange
TALBOT PL.
ROAD
Hall Farm
Donisthorpe Hall
The Hawthorns
HALL
ACRESFORD ROAD
Saltersford Valley Picnic Area
Lakeside
Lowlands Farm
Lowlands Bungalow
Picnic Site
P
Steam Mill Bridge
CANAL ST.
MAIN ST.
SCHOOL
NEW ST.
PASTURE
Playing Field
Oakthorpe Prim. Sch.
STREET
ROAD
Brook
Stanleigh Plantation
The Anchorage
LANE
THE SQUARE
STRETTON VW.
SILVER ST.
House Farm
Oakthorpe
Springfield Farm
Saltersford
Moneyhill Farm
Willowbeds
MEASHAM
CORONATION
Saltersford Cottages
Saltersford Bridge
Saltersford Farm
Oak Villa
CHAPEL
WAY
ROAD
BURTON
RIVER
MEASE
REPTON RD.
HUNTINGDON WAY
THE CROFT
DYSON'S CLOSE
Hall Farm
Stretton en le Field
RECTORY
LANE
Stretton House
Sewage Works
WESTMINSTER INDUSTRIAL ESTATE
RIVERSIDE COURT
RIVER
Side Hollows Farm
MALLARD CL.
SISKIN DR.
WIGEON
MEASE
A42
Quarry Plantation
Ashlea Cottage
Birds Hill
Manor House Farm
A444
TAMWORTH
MEASHAM RD.
White House

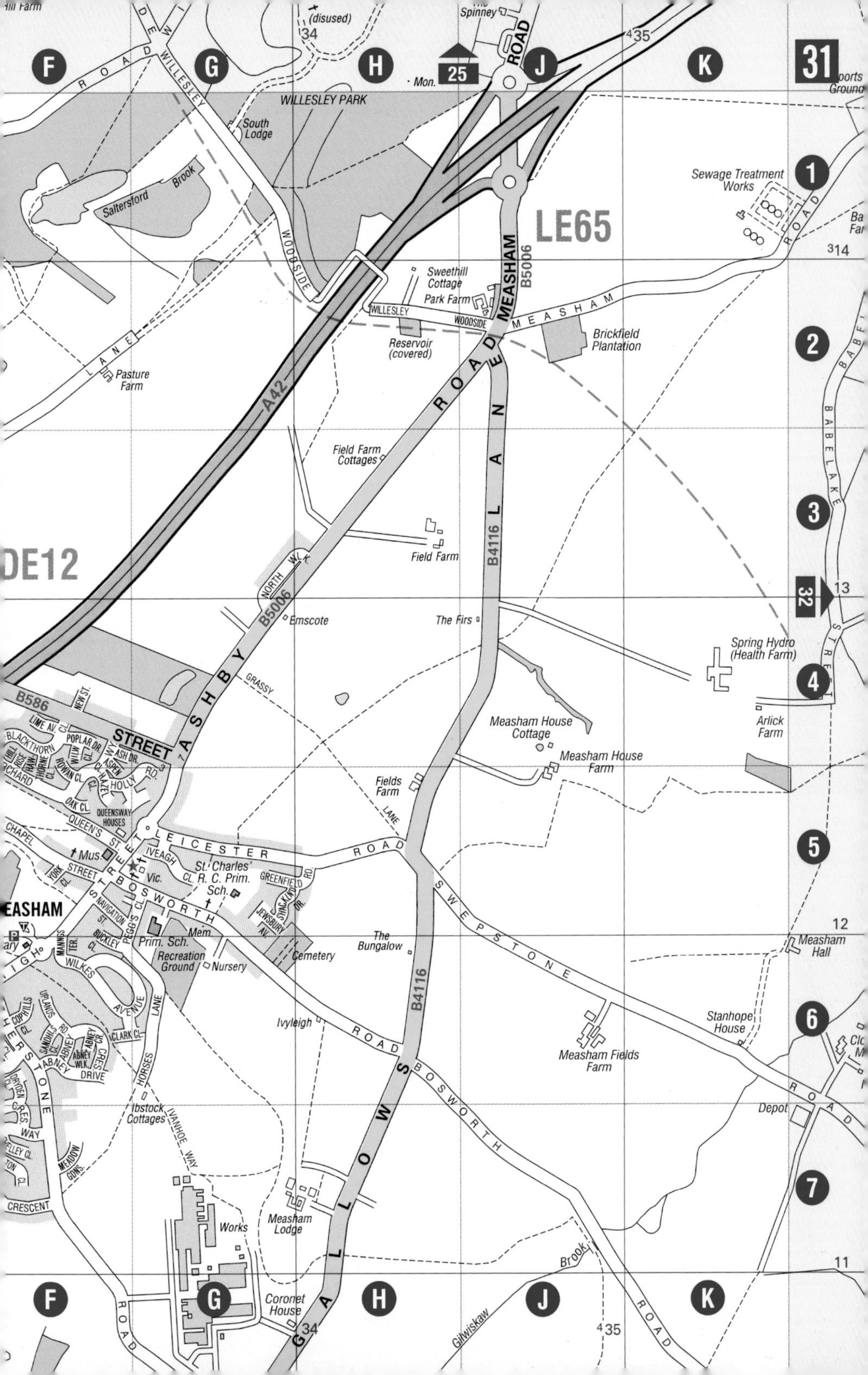
F
G
H
J
K
1
2
3
4
5
6
7
25
32
LE65
DE12
WILLESLEY PARK
South Lodge
Saltersford Brook
WOODSIDE
WILLESLEY
Sweethill Cottage
Park Farm
MEASHAM
B5006
MEASHAM ROAD
Brickfield Plantation
Reservoir (covered)
Pasture Farm
LANE
A42
Sewage Treatment Works
Spinney
(disused)
Mon.
Field Farm Cottages
Field Farm
NORTH WLK.
Emscote
The Firs
B4116
Spring Hydro (Health Farm)
Arlick Farm
Measham House Cottage
Measham House Farm
Fields Farm
ASHBY ROAD
GRASSY LANE
B586
STREET
NEW ST.
LIME AV.
BLACKTHORN
POPLAR DR.
ASH DR.
ROWAN CL.
ASPEN
HAZEL
HOLLY RD.
OAK CL.
QUEENSWAY HOUSES
QUEEN'S ST.
CHAPEL
YORK CL.
LEICESTER ROAD
IVEAGH CL.
Mus.
Vic.
St. Charles' R. C. Prim. Sch.
GREENFIELD RD.
SHACKLADY DR.
JEWSBURY AV.
BOSWORTH
MEASHAM
NAVIGATION ST.
PEGG'S CL.
BUCKLEY CL.
Mem.
Prim. Sch.
Recreation Ground
Nursery
Cemetery
SWEPSTONE ROAD
The Bungalow
Measham Hall
Stanhope House
Measham Fields Farm
WILKES AVENUE
CLARK CL.
UPLANDS RD.
COPPILLS CL.
SANDHILLS CL.
ABNEY WLK.
ABNEY CRES.
ABNEY DRIVE
HORSES LANE
Ivyleigh
ROAD
BOSWORTH ROAD
GALLOWS LANE
Ibstock Cottages
IVANHOE WAY
MEADOW GDNS.
CRESCENT
Works
Measham Lodge
Coronet House
Depot
Brook
Gilwiskaw
434
435
314
13
12
11

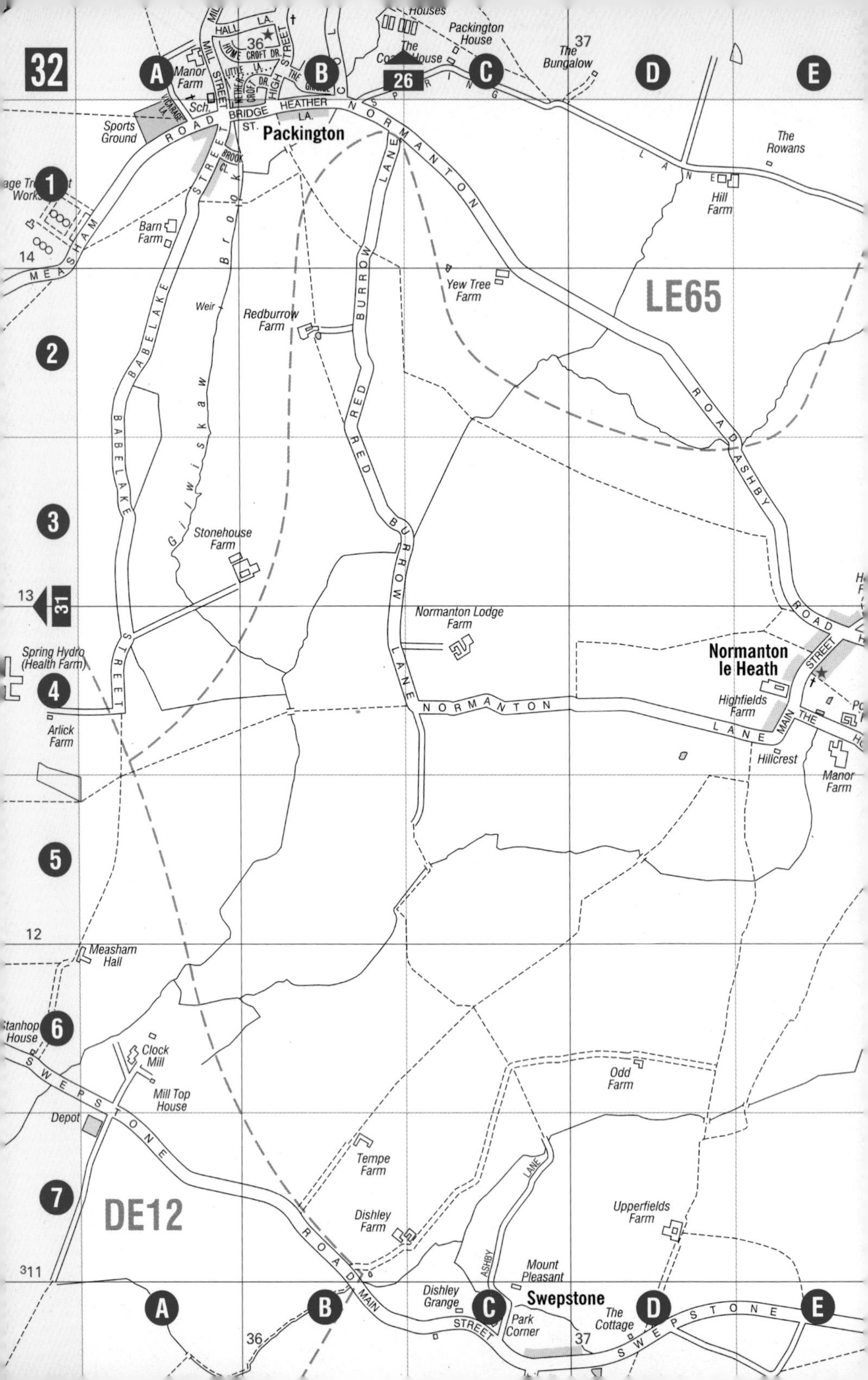

Packington
Normanton le Heath
Swepstone
LE65
DE12
Manor Farm
Sports Ground
Sch.
VICARAGE LA.
MILL STREET
HALL LA.
HOME CROFT DR.
LITTLE LA.
NETHERCROFT DR.
HIGH STREET
THE GRANGE
BRIDGE ST.
HEATHER LA.
BROOK CL.
ROAD
NORMANTON
SPRING LANE
Packington House
The Coach House
The Bungalow
Houses
26
36
37
The Rowans
Hill Farm
Barn Farm
MEASHAM
14
Weir
Redburrow Farm
Yew Tree Farm
RED BURROW LANE
BABELAKE STREET
Gilwiskaw Brook
Stonehouse Farm
13
31
ROAD ASHBY
Normanton Lodge Farm
Spring Hydro (Health Farm)
Arlick Farm
NORMANTON LANE
Highfields Farm
MAIN STREET
THE
Hillcrest
Manor Farm
12
Measham Hall
Stanhope House
Clock Mill
Mill Top House
Depot
SWEPSTONE ROAD
Odd Farm
Tempe Farm
Dishley Farm
Upperfields Farm
LANE
ASHBY
Mount Pleasant
Dishley Grange
Park Corner
The Cottage
MAIN STREET
SWEPSTONE
311
A
B
C
D
E
1
2
3
4
5
6
7

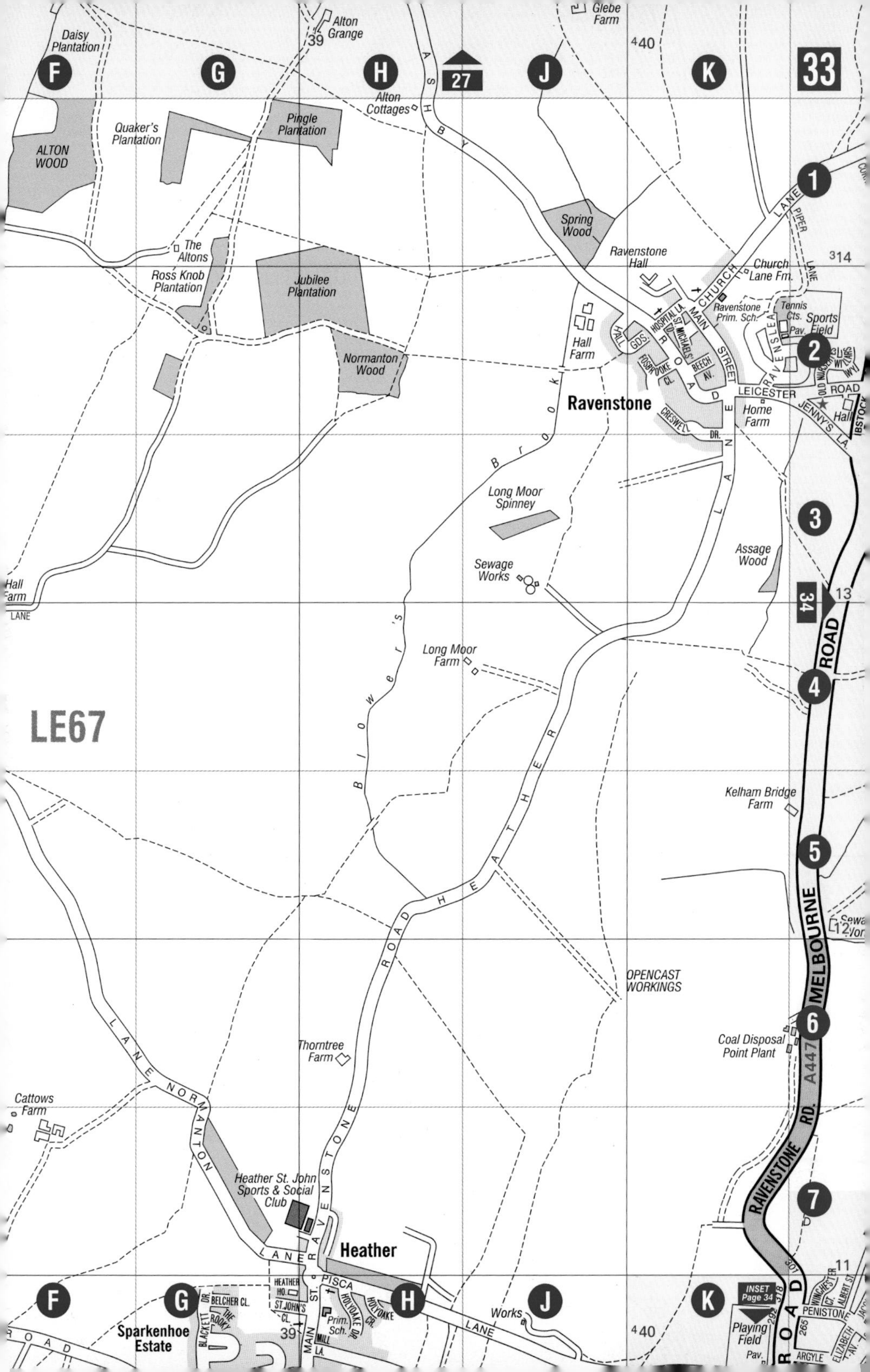
Daisy Plantation
Alton Grange
Glebe Farm
27
ALTON WOOD
Quaker's Plantation
Pingle Plantation
Alton Cottages
Spring Wood
The Altons
Ross Knob Plantation
Jubilee Plantation
Normanton Wood
Ravenstone Hall
Church Lane Fm.
Ravenstone Prim. Sch.
Tennis Cts.
Sports Field
Pav.
Hall Farm
Ravenstone
Home Farm
Hall
Long Moor Spinney
Sewage Works
Assage Wood
Hall Farm
Long Moor Farm
LE67
Kelham Bridge Farm
OPENCAST WORKINGS
Coal Disposal Point Plant
Thorntree Farm
Cattows Farm
Heather St. John Sports & Social Club
Heather
Works
Sparkenhoe Estate
Prim. Sch.
INSET Page 34
Playing Field
Pav.
34
ASHBY ROAD
CHURCH LANE
PIPER LANE
MAIN STREET
LEICESTER ROAD
JENNY'S LA.
IBSTOCK
MELBOURNE ROAD
A447
RAVENSTONE RD.
NORMANTON LANE
HEATHER LANE
RAVENSTONE ROAD
PISCA LANE
Blower's Brook
Sewage Works

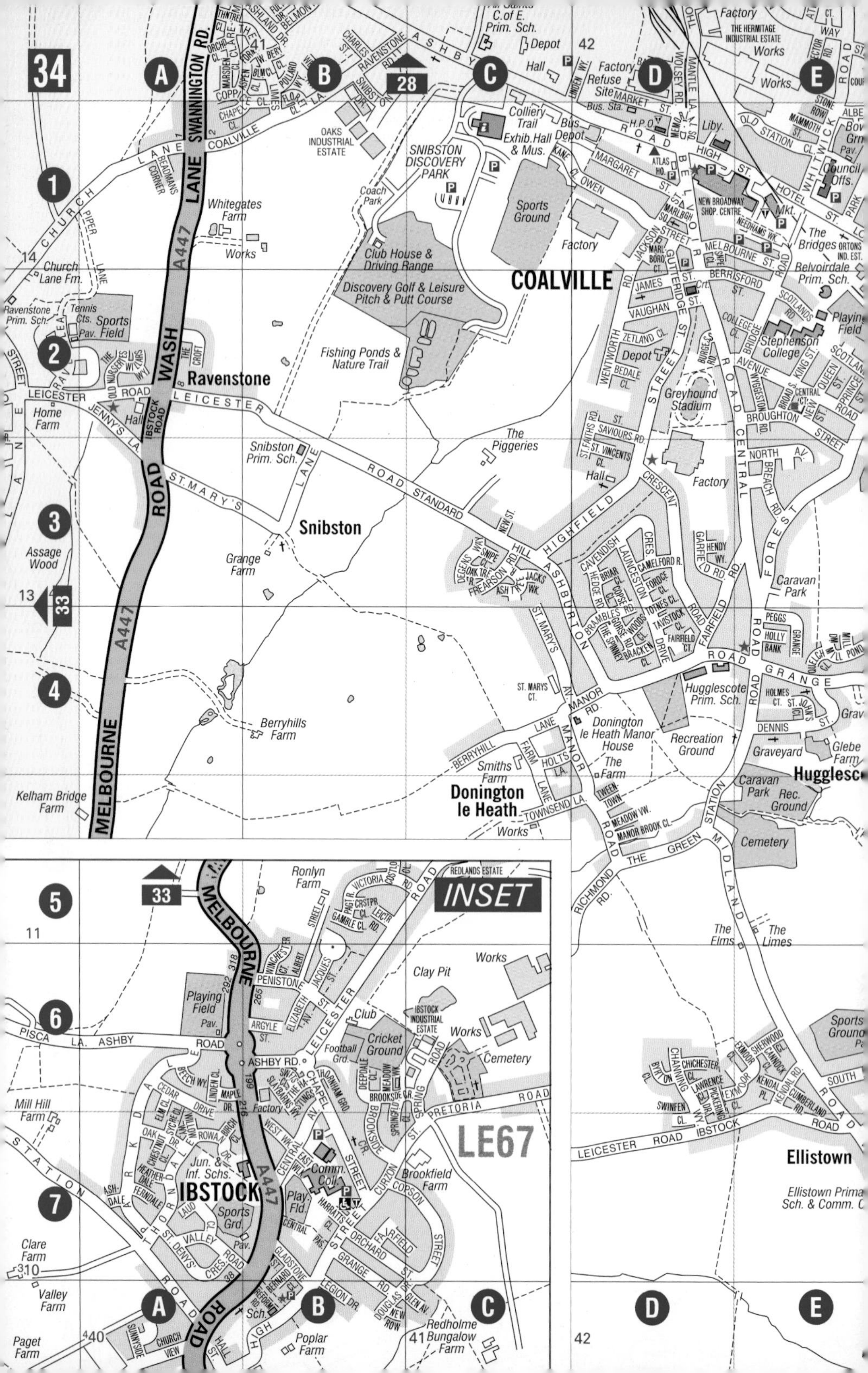

34
A
B
C
D
E
1
2
3
4
5
6
7
28
33
41
42
14
13
11
10
40
COALVILLE
Ravenstone
Snibston
Donington
le Heath
Hugglesc
Ellistown
IBSTOCK
INSET
LE67
SWANNINGTON RD.
LANE
WASH
ROAD
MELBOURNE
A447
COALVILLE LANE
CHURCH LANE
PIPER LANE
LEICESTER ROAD
JENNY'S LA.
IBSTOCK ROAD
ST. MARY'S
STANDARD HILL
ASHBY ROAD
BELVOIR ROAD
HIGH ST.
MARGARET ST.
OWEN
JACKSON STREET
MELBOURNE ST.
BERRISFORD ST.
JAMES ST.
VAUGHAN
WENTWORTH
ZETLAND CL.
BEDALE CL.
CENTRAL ROAD
FOREST ROAD
BROUGHTON STREET
NORTH AV.
HIGHFIELD CRESCENT
ASHBURTON
CAVENDISH
LAUNCESTON
FAIRFIELD RD.
GRANGE ROAD
MANOR RD.
BERRYHILL LANE
FARM LANE
HOLTS LA.
TOWNSEND LA.
MEADOW VW.
MANOR BROOK CL.
THE GREEN
RICHMOND RD.
MIDLAND
STATION
LEICESTER ROAD
IBSTOCK ROAD
SOUTH
Whitegates Farm
Works
Church Lane Fm.
Ravenstone Prim. Sch.
Tennis Cts.
Sports Pav. Field
Home Farm
Hall
Assage Wood
Snibston Prim. Sch.
Grange Farm
Berryhills Farm
Kelham Bridge Farm
OAKS INDUSTRIAL ESTATE
SNIBSTON DISCOVERY PARK
Coach Park
Club House & Driving Range
Discovery Golf & Leisure Pitch & Putt Course
Fishing Ponds & Nature Trail
The Piggeries
Colliery Trail
Exhib.Hall & Mus.
Bus Depot
Sports Ground
Factory
Refuse Site
Bus. Sta.
Liby.
Mkt.
NEW BROADWAY SHOP. CENTRE
The Bridges
Belvoirdale Prim. Sch.
Playing Field
Stephenson College
Council Offs.
Greyhound Stadium
Depot
Hall
Caravan Park
Hugglescote Prim. Sch.
Recreation Ground
Graveyard
Glebe Farm
Rec. Ground
Cemetery
Donington le Heath Manor House
The Farm
Smiths Farm
The Elms
The Limes
THE HERMITAGE INDUSTRIAL ESTATE
Ronlyn Farm
REDLANDS ESTATE
Works
Clay Pit
IBSTOCK INDUSTRIAL ESTATE
Club
Cricket Ground
Football Grd.
Cemetery
Playing Field
Pav.
PISCA LA.
ASHBY ROAD
PENISTONE
ARGYLE ST.
LEICESTER ROAD
CHAPEL
PRETORIA ROAD
SPRING ROAD
CURZON STREET
COPSON STREET
STATION
THORNDALE
Mill Hill Farm
Jun. & Inf. Schs.
Sports Grd.
Play. Fld.
Comm. Coll.
Factory
Brookfield Farm
Clare Farm
Valley Farm
Paget Farm
Poplar Farm
Redholme Bungalow Farm
Sch.
HIGH ST.
CHURCH VIEW
GRANGE RD.
ORCHARD
Sports Ground
Ellistown Prima Sch. & Comm. C

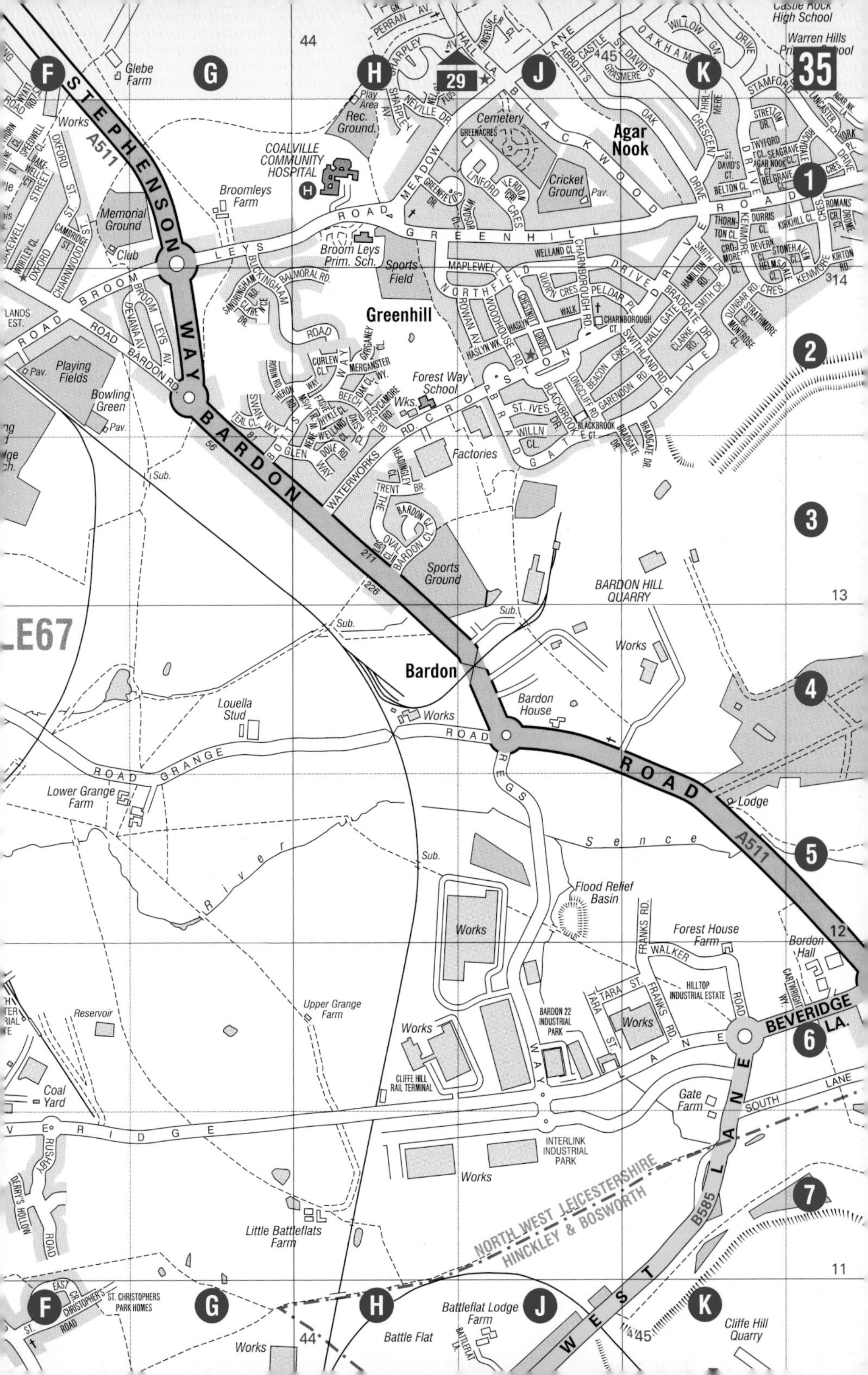

Greenhill
Agar Nook
Bardon
COALVILLE COMMUNITY HOSPITAL
STEPHENSON WAY
A511
BARDON ROAD
GREENHILL ROAD
LEYS ROAD
BROOM LEYS ROAD
BLACKWOOD
Broomleys Farm
Glebe Farm
Memorial Ground
Rec. Ground
Cemetery
Cricket Ground
Broom Leys Prim. Sch.
Sports Field
Forest Way School
Factories
Sports Ground
Playing Fields
Bowling Green
BARDON HILL QUARRY
Works
Bardon House
Louella Stud
GRANGE ROAD
Lower Grange Farm
River Sence
Flood Relief Basin
Forest House Farm
Bordon Hall
HILLTOP INDUSTRIAL ESTATE
BARDON 22 INDUSTRIAL PARK
CLIFFE HILL RAIL TERMINAL
BEVERIDGE LA.
SOUTH LANE
WEST LANE
B585
INTERLINK INDUSTRIAL PARK
Upper Grange Farm
Reservoir
Coal Yard
Little Battleflats Farm
NORTH WEST LEICESTERSHIRE
HINCKLEY & BOSWORTH
Battleflat Lodge Farm
Battle Flat
Cliffe Hill Quarry
ST. CHRISTOPHERS PARK HOMES
DERRY'S HOLLOW
LE67
Castle Rock High School
Warren Hills Primary School

INDEX

Including Streets, Industrial Estates, Selected Subsidiary Addresses
and Selected Places of Interest.

HOW TO USE THIS INDEX

1. Each street name is followed by its Posttown or Postal Locality and then by its map reference; e.g. Abbey Dri. *Ash Z* —3J **25** is in the Ashby-de-la-Zouch Posttown is to be found in square 3J on page **25**. The page number being shown in bold type.
A strict alphabetical order is followed in which Av., Rd., St., etc. (though abbreviated) are read in full and as part of the street name; e.g. Ashdale Clo. appears after Ash Dale but before Ash Dri.

2. Streets and a selection of Subsidiary names not shown on the Maps, appear in the index in *Italics* with the thoroughfare to which it is connected shown in brackets; e.g. *Albion Ter. Bur T —1K 13 (off Derby Rd.)*

3. An example of a selected place of interest is Ashby Castle. —3B **26** (remains of)

GENERAL ABBREVIATIONS

All : Alley
App : Approach
Arc : Arcade
Av : Avenue
Bk : Back
Boulevd : Boulevard
Bri : Bridge
B'way : Broadway
Bldgs : Buildings
Bus : Business
Cvn : Caravan
Cen : Centre
Chu : Church
Chyd : Churchyard
Circ : Circle
Cir : Circus
Clo : Close
Comn : Common
Cotts : Cottages
Ct : Court
Cres : Crescent
Cft : Croft
Dri : Drive
E : East
Embkmt : Embankment

Est : Estate
Fld : Field
Gdns : Gardens
Gth : Garth
Ga : Gate
Gt : Great
Grn : Green
Gro : Grove
Ho : House
Ind : Industrial
Info : Information
Junct : Junction
La : Lane
Lit : Little
Lwr : Lower
Mc : Mac
Mnr : Manor
Mans : Mansions
Mkt : Market
Mdw : Meadow
M : Mews
Mt : Mount
Mus : Museum
N : North
Pal : Palace

Pde : Parade
Pk : Park
Pas : Passage
Pl : Place
Quad : Quadrant
Res : Residential
Ri : Rise
Rd : Road
Shop : Shopping
S : South
Sq : Square
Sta : Station
St : Street
Ter : Terrace
Trad : Trading
Up : Upper
Va : Vale
Vw : View
Vs : Villas
Vis : Visitors
Wlk : Walk
W : West
Yd : Yard

POSTTOWN AND POSTAL LOCALITY ABBREVIATIONS

A'lw : Anslow
Alb V : Albert Village
Ash Z : Ashby-de-la-Zouch
B'dby : Blackfordby
B'dry : Boundary
Bar H : Bardon Hill
Bar N : Barton under Needwood
Boo : Boothorpe
Bran : Branston
Bret : Bretby
Bur T : Burton-on-Trent
Burna : Burnaston
C'wll : Caldwell
Cas G : Castle Gresley
Chur B : Church Broughton
Chur G : Church Gresley
Coal : Coalville
Cole : Coleorton
Cot E : Coton-in-the-Elms
Don H : Donington le Heath
Doni : Donisthorpe
Drake : Drakelow
Egg : Egginton

Elli : Ellistown
Etw : Etwall
Find : Findern
Fos : Foston
Grif : Griffydam
Harts : Hartshorne
Hatt : Hatton
Heat : Heather
Hilt : Hilton
Hug : Hugglescote
Ibs : Ibstock
L'tn : Linton
Mea : Measham
Mid : Midway
Moi : Moira
N Pack : New Packington
N'seal : Netherseal
Need : Needwood
Newh : Newhall
Newt S : Newton Solney
Norm H : Normanton le Heath
Oakt : Oakthorpe
Over : Overseal

Pack : Packington
R'stn : Ravenstone
Rep : Repton
Rol D : Rolleston-on-Dove
Shell : Shellbrook
Smis : Smisby
Snar : Snarestone
Stant : Stanton
Stape : Stapenhill
Stret : Stretton
Swad : Swadlincote
Swan : Swannington
Swep : Swepstone
Tat : Tatenhill
Thri : Thringstone
Tut : Tutbury
W'sley : Willesley
W'vle : Woodville
Walt T : Walton-on-Trent
Whit : Whitwick
Will : Willington

INDEX

Abbey Arc. *Bur T* —5K **13**
Abbey Clo. *Ash Z* —3J **25**
Abbey Dri. *Ash Z* —3J **25**
Abbey Lodge Clo. *Newh* —1H **19**
Abbey Rd. *Coal* —6K **29**
Abbey St. *Bur T* —6J **13**
Abbotsford Rd. *Ash Z* —4B **26**

Abbotts Clo. *Newh* —2H **19**
Abbott's Oak Dri. *Coal* —7J **29**
Abbotts Rd. *Newh* —2H **19**
Abney Cres. *Mea* —6F **31**
Abney Dri. *Mea* —6F **31**
Abney Wlk. *Mea* —6F **31**
Acacia Av. *Mid* —1J **19**

Acresford Rd. *Doni* —3A **30**
Acresford Rd. *Over* —6J **23**
Acresford Vw. *Over* —6J **23**
Addie Rd. *Bur T* —1G **13**
Adelaide Cres. *Bur T* —5D **14**
Agar Nook Ct. *Coal* —1K **35**
Agar Nook La. *Coal* —7K **29**

Aintree Clo. Bran —1E 16
Albert Hall Pl. Coal —1K 35
Albert Rd. Chur G —6H 19
Albert Rd. Coal —1E 34
Albert St. Bur T —3H 13
Albert St. Ibs —6B 34
Albion Clo. Moi —5D 24
Albion St. W'vle —6C 20
Albion Ter. Bur T —1K 13
(off Derby Rd.)
Alderbrook Clo. Rol D —2G 9
Alder Gro. Bur T —1A 18
Alders Brook. Hilt —4J 5
Aldersley Clo. Find —4K 7
Alexandra Ct. Bur T —4B 14
Alexandra Rd. Bur T —4B 14
Alexandra Rd. Over —5J 23
Alexandra Rd. Swad —5J 19
Alfred St. Bur T —5H 13
Allison Av. Swad —5J 19
All Saints Cft. Bur T —7H 13
All Saints Rd. Bur T —6G 13
Alma Rd. Newh —2G 19
Alma St. Bur T —5H 13
Almond Ct. Stret —5K 9
Almond Gro. Newh —3H 19
Almshouses. Etw —1C 6
Althorp Way. Stret —6J 9
Alton Hill. R'stn —7F 27
Alton Way. Ash Z —4B 26
Amberlands. Stret —5A 10
Amberwood. Newh —3H 19
Amersham Way. Mea —4E 30
Anchor La. Cole —1B 28
Anderby Gdns. Chur G —6G 19
Anderstaff Ind. Pk. Bur T —2J 13
Anglesey Ct. Bur T —6G 13
Anglesey Rd. Bur T —6G 13
Anglesey St. Bur T —4E 12
Annwell La. Smis —7H 21
Anslow La. Rol D —4F 9
Anson Ct. Bur T —4K 13
Appleby Glade. Cas G —6E 18
Appleby Glade Ind. Est. Swad —6F 19
Appleton Clo. Newh —2G 19
Appletree Rd. Hatt —4B 4
Aqueduct Rd. Cole —1K 27
Argyle St. Ibs —6B 34
Arnold Clo. Cas G —2F 23
Arnot Rd. Bran —7F 13
Arnside Clo. Chur G —7K 19
Arthurs Ct. Stret —4K 9
Arthur St. Bur T —2H 13
Arthur St. Cas G —2F 23
Ascot Clo. Bur T —4B 14
Ascott Dri. Newh —1H 19
Ashbourne Dri. Cas G —7G 19
Ashbrook. Bur T —6B 14
Ashburton Rd. Hug —3C 34
Ashby Castle. —3B 26
(remains of)
Ashby-de-la-Zouch By-Pass. B'dby & Ash Z —6G 21
Ashby-de-la-Zouch Museum. —3A 26
Ashby La. B'dby —7F 21
Ashby La. Swep —7C 32
Ashby Pk. Ash Z —2D 26
Ashby Rd. Ash Z & Cole —3E 26
(in two parts)
Ashby Rd. Bur T & Bret —4A 14
Ashby Rd. Cole —6J 27
Ashby Rd. Doni —1D 30
Ashby Rd. Ibs —6A 34
(in two parts)
Ashby Rd. Mea —4G 31
Ashby Rd. Moi —5C 24
Ashby Rd. Pack —7B 26
Ashby Rd. R'stn —7H 27
Ashby Rd. Thri —1D 28
Ashby Rd. W'vle & B'dry —6D 20
Ashby Rd. E. Bret —6F 15
Ashdale. Ibs —7A 34
Ash Dale. Thri —2E 28
Ashdale Clo. Bur T —7B 14
Ash Dri. Mea —4F 31
Ashfield Dri. Moi —3E 24
Ashford Rd. Bur T —1F 13
Ashford Rd. Whit —4E 28
Ash Gro. La. Egg —7D 6
Ashland Dri. Coal —7B 28
Ash La. Etw —6B 6
Ashleigh Av. Newh —3G 19
Ashley Clo. Bur T —4B 14
Ashley Clo. Over —6J 23
Ashley Ct. Bur T —4B 14
Ashover Rd. Newh —3F 19
Ash St. Bur T —6G 13
Ash Tree Clo. Newh —2G 19
Ash Tree Rd. Hug —3C 34
Ash Vw. Clo. Etw —1C 6
Ashworth Av. Bur T —5D 14
Askew Gro. Rep —4K 11
Aspen Clo. Mea —4F 31
Aspen Clo. R'stn —7B 28
Aspens Hollow. Thri —2E 28
Astil St. Bur T —6A 14
Astley Way. Ash Z —2C 26
Aston Dri. Newh —7H 15
Atherstone Rd. Mea —6F 31
Athlestan Way. Stret —4G 9
Atkinson Rd. Ash Z —2J 25
Atlas Ct. Coal —7E 28
Atlas Ho. Coal —1D 34
Atlas Rd. Coal —7E 28
Audens Way. Mid —2K 19
Aults Clo. Find —4K 7
Avenue Rd. Ash Z —4K 25
Avenue Rd. Coal —2E 34
Averham Clo. Swad —5H 19
Aviation La. Bur T —3B 12
Avon Clo. Swad —2J 19
Avon Way. Bur T —6B 14
Avon Way. Hilt —4J 5

Babbington Clo. Tut —1B 8
Babelake St. Pack —2A 32
Back La. Hilt —3H 5
Bailey Av. Over —6H 23
Bailey St. Bur T —6J 13
Baker Av. Ash Z —4J 25
Baker St. Bur T —1K 17
Baker St. Coal —7D 28
Baker St. Swad —5K 19
Bakery Ct. Ash Z —3A 26
Bakewell Ct. Coal —1F 35
Bakewell Grn. Newh —3F 19
Bakewells La. Cole —2A 28
Bakewell St. Coal —1F 35
Balfour St. Bur T —1H 13
Balmoral Rd. Bur T —4B 14
Balmoral Rd. Coal —2G 35
Baltimore Clo. Newh —1H 19
Bamborough Clo. Stret —7J 9
Bamburgh Clo. Ash Z —4A 26
Bancroft Clo. Hilt —3J 5
Bancroft, The. Etw —1C 6
Bank Passage. Swad —5J 19
Bank St. Cas G —1H 23
Bank Wlk. Bur T —6G 9
Bardolph Clo. Swad —5G 19
Bardon Clo. Coal —3H 35
Bardon Rd. Coal & Bar H —2G 35
Bardon 22 Ind. Pk. Elli —6J 35
Bargate La. Will —1J 11
Barklam Clo. Doni —1B 30
Barley Clo. Bur T —1K 13
Barleycorn Clo. Bur T —6B 14
Barn Clo. Find —3K 7
Barr Cres. Whit —5G 29
Barrington Clo. Stret —5H 9
Barton St. Bur T —7H 13
Baslow Grn. Newh —3F 19
Bass Cotts. Bur T —3K 13
Bass Museum, The. —4J 13
(Shire Horse Stables)
Bass's Bldgs. Bur T —4G 13
Bass's Cres. Cas G —2F 23
Bath Grounds. —4A 26
(Sports Ground)
Bath La. Moi —5K 23
Bath St. Ash Z —3A 26
Battleflat La. Elli —7J 35
Battlestead Hill Nature Reserve. —7B 12
Beacon Cres. Coal —2J 35
Beacon Dri. Rol D —3G 9
Beacon Rd. Rol D —4G 9
Beaconsfield Rd. Bur T —7F 9
Beadmans Corner. R'stn —1A 34
Beam Clo. Bur T —6F 9
Beamhill Rd. A'lw & Bur T —6D 8
Beards Rd. Newh —2H 19
Bearwood Hill Rd. Bur T —4A 14
Beaufort Rd. Bur T —6B 14
Beaumont Av. Ash Z —3J 25
Beaumont Grn. Cole —1K 27
Beaumont Rd. Whit —5H 29
Becket Clo. Bur T —1G 13
Bedale Clo. Coal —2D 34
Bedford Rd. Bur T —1J 17
Beech Av. R'stn —2K 33
Beech Av. Stret —6A 10
Beech Av. Will —1H 11
Beech Dri. Etw —1D 6
Beech Dri. Stret —6K 9
Beech Dri. W'vle —6E 20
Beech Gro. Newh —1G 19
Beech La. Stret —5K 9
(in two parts)
Beech St. Bur T —6G 13
Beech Tree Rd. Coal —2H 35
Beech Way. Ash Z —3C 26
Beech Way. Ibs —6A 34
Beehive Av. Moi —5D 24
Bee Hives, The. Newh —1H 19
Belcher Clo. Heat —7G 33
Belfield Ct. Etw —2C 6
Belfield Rd. Etw —2C 6
Belfield Rd. Swad —4J 19
Belfield Ter. Etw —2D 6
Belfry, The. Stret —5H 9
Belgrave Clo. Coal —1K 35
Bell La. Harts —5D 20
Bells End Rd. Walt T —7C 16
Belmont Dri. Coal —7B 28
Belmont St. Swad —4K 19
Belmot Rd. Need & Tut —3A 8
Belton Clo. Coal —1K 35
Belvedere Rd. Bur T —1F 13
Belvedere Rd. W'vle —6C 20
Belvoir Clo. Bur T —2G 13
Belvoir Cres. Newh —2H 19
Belvoir Dri. Ash Z —4A 26
Belvoir Rd. Bur T —2F 13
Belvoir Rd. Coal —1D 34
Bend Oak Dri. Bur T —3D 14
Benenden Way. Ash Z —2K 25
Bent La. Chur B —1B 4
Bentley Brook. Hilt —4J 5
Bentley Dale. Harts —5D 20
Beowulf Covert. Stret —5G 9
Beresford Dale. Chur G —6G 19
Bernard Clo. Ibs —7B 34
Bernard Ct. W'vle —5A 20
Bernard St. W'vle —5A 20
Berrisford St. Coal —2D 34
Berry Clo. R'stn —7B 28
Berry Gdns. Bur T —3D 14
Berry Hedge La. Bur T —3D 14
Berryhill La. Don H —4C 34
Berwick Rd. Ash Z —4C 26
Best Av. Bur T & Stape —6C 14
Beveridge La. Elli & Bar H —7F 35
Beverley Rd. Bran —1E 16
Birch Av. Newh —1G 19
Birch Av. Whit —5H 29
Birch Clo. Bran —7F 13
Birches Clo. Stret —6J 9
Birchfield Rd. Bur T —2K 17
Birch Gro. Hatt —3C 4
Birchwood Clo. Cole —6J 27
Birkdale Av. Bran —2F 17

Dale End Rd. *Hilt* —3H **5**
Dalefield Dri. *Swad* —5J **19**
Dales Clo. *Newh* —3F **19**
Daleside. *Bur T* —6C **14**
Dale St. *Bur T* —5H **13**
Dalkeith Wlk. *Thri* —1E **28**
Dallow Clo. *Bur T* —2H **13**
Dallow Cres. *Bur T* —2H **13**
Dallow St. *Bur T* —2G **13**
Dalston Rd. *Newh* —3H **19**
Dalton Av. *Stape* —5C **14**
Dame Paulet Wlk. *Bur T* —5J **13**
Darklands La. *Swad* —4H **19**
Darklands Rd. *Swad* —4J **19**
Dark La. *Tat* —6A **12**
Darley Clo. *Cas G* —7H **19**
Darley Clo. *Stape* —6D **14**
Darley Dale. *Chur G* —6G **19**
Darwin Clo. *Stape* —6D **14**
Davis Rd. *Swad* —4J **19**
Dawkins Rd. *Doni* —1B **30**
Daybell Rd. *Moi* —5D **24**
Dayton Clo. *Coal* —7B **28**
Deepdale Clo. *Bur T* —2C **14**
Deepdale Clo. *Ibs* —6B **34**
De Ferrers Cft. *Stret* —6H **9**
Degens Way. *Hug* —3C **34**
Delhi Clo. *Bur T* —4D **14**
Denbigh Clo. *Stret* —7J **9**
Denby Turn. *Bur T* —2J **13**
Dennis St. *Hug* —4E **34**
Denstone Clo. *Ash Z* —1K **25**
Denton Ri. *Bur T* —7F **9**
Denton Rd. *Bur T* —1F **13**
Derby Rd. *Ash Z* —2A **26**
Derby Rd. *B'dby* —1H **21**
Derby Rd. *Bur T & Stret* —2J **13**
Derby Rd. *Hatt* —3C **4**
Derby Rd. *Hilt & Etw* —3J **5**
Derby Rd. *Swad* —4K **19**
Derby Southern By-Pass. *Hilt & Etw* —2A **6**
Derby St. *Bur T* —4H **13**
Derby St. E. *Bur T* —3H **13**
Derry's Hollow. *Elli* —7F **35**
De Ruthyn Clo. *Moi* —5D **24**
Derwent Clo. *Bur T* —4K **13**
Derwent Clo. *Cas G* —7H **19**
Derwent Ct. *Will* —7H **7**
Derwent Gdns. *Ash Z* —5B **26**
Derwent Pk. *Bur T* —2K **13**
Derwent Rd. *Bur T* —6B **14**
Devana Av. *Coal* —2G **35**
Deveron Clo. *Coal* —1K **35**
Deveron Clo. *Stret* —5H **9**
Devon Clo. *Bur T* —2K **17**
Devon Clo. *Moi* —3F **25**
Dibble Rd. *Bran* —1F **17**
Dickens Clo. *Bur T* —1J **13**
Dickens Dri. *Swad* —3K **19**
Dingle, The. *Bur T* —7K **13**
Dinmore Grange. *Harts* —2E **20**
Discovery Golf & Leisure. —1B 34
(Pitch & Putt Course)
Discovery Way. *Ash Z* —2C **26**
Dish La. *Hilt* —1G **5**
Dodslow Av. *Rol D* —3G **9**
Doles La. *Find* —2K **7**
Dominion Rd. *Swad* —3J **19**
Donington Dri. *Ash Z* —4K **25**
Donington le Heath Manor House. —4D 34
Donisthorpe La. *Moi* —6A **24**
Donithorne Clo. *Bur T* —7H **9**
Dorset Clo. *Bur T* —2K **17**
Dorset Dri. *Moi* —3F **25**
Douglas Dri. *Ibs* —7B **34**
Dovecliff Cres. *Stret* —4A **10**
Dovecliff Rd. *Rol D & Stret* —2K **9**
Dove Clo. *W'vle* —5C **20**
Dovedale Clo. *Bur T* —3B **14**
Dove Gro. *Egg* —1B **10**
Dove Lea. *Rol D* —2G **9**
Dover Ct. *Bur T* —7H **9**
Doveridge Rd. *Bur T* —5C **14**
Dove Ri. *Hilt* —3H **5**
Dove Rd. *Coal* —3H **35**
Dover Rd. *Bur T* —7G **9**
Dove Side. *Hatt* —5C **4**
Dove Vw. *Tut* —7B **4**
Downside Dri. *Ash Z* —2K **25**
Drayton St. *Swad* —4K **19**
Drift Clo. *B'dby* —1E **24**
Drift Side. *B'dby* —2E **24**
Drive, The. *Bur T* —7H **9**
Drome Clo. *Coal* —1K **35**
Dryden Clo. *Mea* —6F **31**
Duchy Clo. *Stret* —6K **9**
Duck St. *Egg* —1B **10**
Duke St. *Bur T* —5H **13**
Duke St. *Tut* —7B **4**
Dumps Rd. *Whit* —3F **29**
Dunbar Rd. *Coal* —2K **35**
Dunbar Way. *Ash Z* —3B **26**
Dundee Rd. *Mid* —3A **20**
Dunedin Cres. *Bur T* —5D **14**
Dunnsmoor La. *Harts* —1A **20**
Dunsmore Way. *Mid* —3A **20**
Dunstall Brook. *Bur T* —6B **14**
Durban Clo. *Bur T* —4D **14**
Durham Clo. *Mid* —3B **20**
Durris Clo. *Coal* —1K **35**
Dyson's Clo. *Mea* —6E **30**

Eagle Clo. *Mea* —6E **30**
Eagle Heights. *Bur T* —4E **14**
Earls Ct. *Stret* —6J **9**
East Cres. *Elli* —7F **35**
E. End Dri. *Swad* —4K **19**
Eastern Av. *Bur T* —6A **10**
Eastfield Rd. *Mid* —2K **19**
East La. *Bar H* —6K **35**
East Lawn. *Find* —3K **7**
East St. *Bur T* —4C **14**
East Wlk. *Ibs* —7B **34**
Eaton Clo. *Hatt* —4C **4**
Edgecote Dri. *Newh* —1H **19**
Edinburgh Way. *Stret* —6J **9**
Edmonton Pl. *Bur T* —4E **14**
Edward St. *Alb V* —7K **19**
Edward St. *Bur T* —3G **13**
Edward St. *Harts* —5D **20**
Edward St. *Over* —5J **23**
Egginton Rd. *Etw* —4C **6**
(in two parts)
Egginton Rd. *Hilt* —3J **5**
Eighth Av. *Bur T* —7E **12**
Eldon St. *Bur T* —4C **14**
Electric St. *Bur T* —2K **13**
Electric St. Ind. Est. *Bur T* —2K **13**
Elford St. *Ash Z* —3A **26**
Elgin Wlk. *Thri* —1E **28**
Elizabeth Av. *Ibs* —6B **34**
Elizabeth Av. *Rol D* —3G **9**
Elm Av. *Ash Z* —2C **26**
Elm Clo. *Bran* —7E **12**
Elm Clo. *Ibs* —6A **34**
Elm Dri. *Hilt* —3J **5**
Elm Gro. *Moi* —3E **24**
Elmhurst. *Egg* —1B **10**
Elmsdale Rd. *Harts* —5D **20**
Elms Gro. *Etw* —2D **6**
Elmsleigh Clo. *Mid* —2J **19**
Elmsleigh Dri. *Mid* —2J **19**
Elmsleigh Grn. *Mid* —2J **19**
Elms Rd. *Bur T* —5A **14**
Elsdon Clo. *Whit* —4E **28**
Elstead La. *B'dby* —7E **20**
Elvaston Ct. *Ash Z* —4B **26**
Elwyn Clo. *Stret* —5J **9**
Ely Clo. *Mid* —2A **20**
Emery Clo. *L'tn* —4E **22**
Empire Rd. *Bur T* —4E **14**
Enderby Ri. *Bur T* —7F **9**
End, The. *Newt S* —6F **11**
Enfield Clo. *Hilt* —3K **5**
Ennerdale Gdns. *Ash Z* —4C **26**
Epsom Clo. *Bran* —1E **16**
Ernest Hall Way. *Swad* —4K **19**
Escolme Clo. *Swad* —4A **20**
Essex Rd. *Bur T* —2J **17**
Eton Clo. *Ash Z* —1K **25**
Eton Clo. *Bur T* —1K **13**
Eton Pk. *Bur T* —1K **13**
Eton Rd. *Bur T* —1J **13**
Etta's Way. *Etw* —1C **6**
Etwall By-Pass. *Etw* —1B **6**
Etwall Leisure Cen. —1C 6
Etwall Rd. *Egg* —5C **6**
Etwall Rd. *Will* —5H **7**
Eureka Rd. *Mid* —3K **19**
Evergreens, The. *Stret* —6A **10**
Evershed Way. *Bur T* —5H **13**
Exeter Clo. *Mid* —2B **20**
Exmoor Clo. *Elli* —6E **34**
Eyam Clo. *Bur T* —5C **14**
Eyrie, The. *Bur T* —4D **14**

Fabis Clo. *Swad* —5H **19**
Fairfax Clo. *Ash Z* —2C **26**
Fairfield. *Ibs* —7B **34**
Fairfield Av. *Rol D* —2J **9**
Fairfield Ct. *Hug* —4D **34**
Fairfield Cres. *Newh* —3F **19**
Fairfield Rd. *Hug* —4D **34**
Fairfield Ter. *W'vle* —5C **20**
Fairham Rd. *Stret* —5A **10**
Fairway. *Bran* —2G **17**
Fairway, The. *Newh* —3F **19**
Falaise Way. *Hilt* —3K **5**
Falcon Clo. *Bur T* —2K **13**
Falcon Way. *W'vle* —5C **20**
Faldo Clo. *Bran* —2G **17**
Faraday Av. *Stret* —6J **9**
Farm Clo. *Bur T* —7G **9**
Farm Ct. Flats. Bur T —*7H* ***9***
(off Farm Rd.)
Farm La. *Don H* —4C **34**
Farm La. *Newt S* —7E **10**
Farm Rd. *Bur T* —7H **9**
Farm Side. *Newh* —3G **19**
Farm Town La. *Cole* —3G **27**
Farndale. *Whit* —3E **28**
Fauld La. *Tut* —7A **4**
Faversham Rd. *Bur T* —1F **13**
Featherbed La. *Ash Z* —2C **26**
Femwork Ind. Est. *Bur T* —2K **13**
Fenton Av. *B'dby* —7E **20**
Fenton Clo. *Mea* —7E **30**
Fenton Cres. *Mea* —7F **31**
Fern Av. *Will* —7K **7**
Fern Clo. *Will* —7K **7**
Ferndale. *Ibs* —7A **34**
Ferrers Av. *Tut* —1A **8**
Ferrers Clo. *Ash Z* —4J **25**
Ferrers Rd. *Whit* —5G **29**
Ferry Grn. *Will* —1J **11**
Ferry St. *Bur T* —1K **17**
Ferry Va. Clo. *Bur T* —7K **13**
Festival Rd. *Bran* —1D **16**
Fettes Clo. *Ash Z* —1K **25**
Fiddler's La. *Tut* —3D **8**
Field Av. *Hatt* —4B **4**
Field Clo. *Bur T* —7F **9**
Field Clo. *Hilt* —3J **5**
Field Clo. *Thri* —2E **28**
Field Dri. *Rol D* —2G **9**
Field La. *Bur T* —7D **8**
Field La. *Cas G* —6F **21**
Field Ri. *Bur T* —7F **9**
Fifth Av. *Bur T* —5F **13**
Finch Clo. *W'vle* —5C **20**
Findern La. *Burna* —1H **7**
Findern La. *Will* —7H **7**
Finney Clo. *Doni* —1B **30**
First Av. *Bur T* —7D **12**
Fir Tree Wlk. *Moi* —3E **24**
Fisher Clo. *Rep* —4K **11**
Fishpond La. *Egg* —1B **10**
Fishpond La. *Tut* —7A **4**
Five Lands Rd. *Bur T* —7A **14**
Flagstaff 42 Bus. Pk. *Ash Z* —2C **26**

Flatts Clo. *Bur T* —1G **13**
Flax Cft. *Hatt* —4B **4**
Fleet St. *Bur T* —5J **13**
Fletches, The. *Stret* —5G **9**
Floret Clo. *R'stn* —7B **28**
Foan Hill. *Swan* —5C **28**
Fontwell Rd. *Bran* —1E **16**
Fordice Clo. *Hug* —3D **34**
Ford La. *Will* —1J **11**
Ford St. *Bur T* —1K **17**
Forest Rd. *Bur T* —2C **12**
Forest Rd. *Coal* —3E **34**
Forge La. *Stret* —4A **10**
Forman Clo. *Swad* —4J **19**
Formans Way. *R'stn* —7B **28**
Forrester Clo. *Cole* —5J **27**
Forties La. *Smis* —4J **21**
Fosbrooke Clo. *R'stn* —2K **33**
Foster Rd. *W'vle* —6C **20**
Foston Av. *Bur T* —1F **13**
Foston Clo. *Hatt* —5B **4**
Foston/Hatton/Hilton By-Pass. *Hatt & Fos*
—1A **4**
Fourth Av. *Bur T* —5E **12**
Fox Clo. *Bran* —7G **13**
Foxglove Av. *Bur T* —7B **14**
Foxglove Rd. *Coal* —2H **35**
Franklin Clo. *Stape* —6C **14**
Franks Rd. *Bar H* —6K **35**
Frearson Rd. *Hug* —3C **34**
Frederick St. *Bur T* —7K **13**
Frederick St. *W'vle* —5B **20**
Friars Wlk. *Bur T* —5K **13**
Friary Cft. *Newh* —1H **19**
Fulton Dri. *Coal* —7B **28**
Furnace La. *Moi* —6B **24**
Furnace La. Ind. Est. *Moi* —6B **24**
Fyfield Rd. *Bur T* —2K **17**

Gables, The. *Ash Z* —5B **26**
Gables, The. *Newh* —3F **19**
Gainsborough Way. *Bur T* —4C **14**
Galahad Dri. *Stret* —4K **9**
Gallows La. *Mea* —7H **31**
Gamble Clo. *Ibs* —5B **34**
Garden Rd. *Coal* —7F **29**
Garendon Rd. *Coal* —2J **35**
Garfield Rd. *Hug* —3D **34**
Garganey Clo. *Coal* —2H **35**
Gartan Rd. *Bran* —7F **13**
Gatcombe Clo. *Stret* —5J **9**
Gawain Gro. *Stret* —4K **9**
Geary Clo. *Whit* —4E **28**
Geary La. *Bret* —6G **15**
Gelsmoor Rd. *Cole* —1A **28**
Genista Clo. *Bur T* —7B **14**
George Holmes Bus. Pk. *Swad* —5G **19**
George Holmes Way. *Swad* —4G **19**
George St. *Bur T* —4J **13**
George St. *Chur G* —6H **19**
George St. *Whit* —5G **29**
George Walker Ct. *Bur T* —2H **13**
Gerard Gro. *Etw* —1D **6**
Gillamore Dri. *Whit* —7H **29**
Gladstone St. *Ibs* —7B **34**
Glamis Clo. *Stret* —6J **9**
Glebe Clo. *Rol D* —2F **9**
Glebe Rd. *Thri* —1D **28**
Glebe St. *Swad* —5J **19**
Glebe Vw. *Coal* —7A **28**
Glenalmond Clo. *Ash Z* —2K **25**
Glen Av. *Ibs* —7C **34**
Glencroft Clo. *Bur T* —1G **17**
Gleneagles Dri. *Stret* —5H **9**
Glenfield Ri. *Bur T* —7F **9**
Glen Ri. *Bur T* —7F **9**
Glensyl Way. *Bur T* —3K **13**
Glen Way. *Coal* —3H **35**
Gloucester Way. *Bur T* —6C **14**
Gold Pl. *W'vle* —4B **20**
Golf Course. —6E **28**
Goliath Rd. *Coal* —7E **28**
Goodman St. *Bur T* —2J **13**

Goodwood Clo. *Stret* —5H **9**
Gordon St. *Bur T* —3H **13**
Gorse La. *Moi* —3B **24**
Gorse Rd. *Hug* —4D **34**
Gorsey Leys. *Over* —6K **23**
Gorsty Leys. *Find* —4K **7**
Goseley Av. *Harts* —4D **20**
Goseley Cres. *Harts* —4D **20**
Gough Side. *Bur T* —5J **13**
Gracedieu. *Whit* —1G **29**
Gracedieu Rd. *Whit* —2E **28**
Grafton Rd. *Bur T* —6B **14**
Graham Clo. *Bran* —1H **17**
Grain Warehouse Yd. *Bur T* —4H **13**
Grange Clo. *Ash Z* —4K **25**
Grange Clo. *Bur T* —3G **13**
(in two parts)
Grange Ct. *Egg* —1C **10**
Grange Rd. *Hug* —4E **34**
Grange Rd. *Ibs* —7B **34**
Grange Rd. *Newh* —3F **19**
Grange St. *Bur T* —4G **13**
Grange, The. *Bur T* —4G **13**
Grange, The. *Pack* —7B **26**
Granville Clo. *Hatt* —4C **4**
Granville Ct. *Swad* —4K **19**
(off Hall Farm Rd.)
Granville Ind. Est. *Chur G* —6A **20**
Granville M. *W'vle* —5B **20**
Granville St. *W'vle* —5B **20**
Grasmere. *Coal* —7J **29**
Grasmere Clo. *Bur T* —6C **14**
Grassy La. *Mea* —4G **31**
Greenacres. *Coal* —1J **35**
Green Clo. *Will* —7H **7**
Greenfield Dri. *L'tn* —3D **22**
Greenfield Rd. *Mea* —5G **31**
Greenfields Dri. *Coal* —1H **35**
Greenhill Rd. *Coal* —1H **35**
Green Lands. *Mid* —1J **19**
Green La. *Burna* —1G **7**
Green La. *Bur T* —7G **9**
Green La. *Over* —5G **23**
(in two parts)
Green La. *Tut* —1B **8**
(in two parts)
Green La. *Whit* —6F **29**
Greenline Bus. Pk. *Bur T* —4G **13**
Greenside Clo. *Doni* —1B **30**
Green St. *Bur T* —6J **13**
Green, The. *Ash Z* —3A **26**
Green, The. *Bret* —4H **15**
Green, The. *Don H* —5D **34**
Green, The. *Stret* —5K **9**
Green, The. *Thri* —2E **28**
Green, The. *Will* —7H **7**
(in two parts)
Greenvale Clo. *Bur T* —7A **14**
Greenway. *Bur T* —3B **14**
Greenwood Rd. *Bur T* —7K **13**
Gregson Clo. *Swad* —3J **19**
Gresley Rovers F.C. —7J **19**
Gresley Woodlands. *Chur G* —6H **19**
Gresley Wood Rd. *Swad & Chur G* —5G **19**
Gretton Av. *Stret* —5K **9**
Griffith Gdns. *Ash Z* —4J **25**
Grizedale Clo. *Bur T* —6C **14**
Grove Pk. *Etw* —3C **6**
Grove Rd. *Whit* —5F **29**
Grove St. *Swad* —4J **19**
Grove, The. *Tat* —7A **12**
Grunmore Dri. *Stret* —4K **9**
Guildford Av. *Mid* —2B **20**
Guild St. *Bur T* —4J **13**
Guinevere Av. *Stret* —4K **9**
Gunby Hill. *N'seal* —7G **23**
Gutteridge St. *Coal* —1D **34**

Hackett Clo. *Ash Z* —3A **26**
Hailbury Av. *Ash Z* —2K **25**
Halcyon Ct. *Bur T* —3G **13**
Halcyon Way. *Bur T* —3G **13**
Halifax Clo. *Hilt* —3K **5**

Hallams Row. *Bur T* —3H **13**
Hall Clo. *B'dby* —1F **25**
Hallcroft Av. *Over* —6J **23**
Hall Farm Clo. *Swad* —4K **19**
Hall Farm Rd. *Swad* —4K **19**
Hallfields Rd. *Stant* —4D **18**
Hall Gdns. *R'stn* —2J **33**
Hall Gate. *Coal* —2K **35**
Hall Green Av. *Stret* —4K **9**
Hall Grounds. *Rol D* —2F **9**
Hall La. *Doni* —2B **30**
Hall La. *Pack* —7A **26**
Hall La. *Whit* —5G **29**
Hall La. *Will* —1J **11**
Hall Rd. *Rol D* —2E **8**
Hall St. *Chur G* —6H **19**
Hall St. *Ibs* —7A **34**
Hamilton Dri. *Swad* —3K **19**
Hamilton Fields. *Bur T* —5B **14**
Hamilton Gro. *Swad* —3A **20**
Hamilton Rd. *Bur T* —5B **14**
Hamilton Rd. *Coal* —2K **35**
Hamilton Ter. *Will* —1J **11**
Hanbury Av. *Hatt* —4C **4**
Hanbury Rd. *A'lw* —1A **12**
Hanchurch Clo. *Bur T* —3B **14**
Handsacre Clo. *Swad* —5G **19**
Harbin Rd. *Walt T* —7C **16**
Harbury St. *Bur T* —1F **13**
Harcourt Rd. *Bran* —7D **12**
Harebell Clo. *W'vle* —4B **20**
Harehedge La. *Bur T* —6G **9**
Hargate Rd. *Stape* —6D **14**
Harlaxton St. *Bur T* —1F **13**
Harlech Way. *Stret* —6J **9**
Harper Av. *Bur T* —7H **9**
Harper Ct. *Bur T* —7H **9**
Harratts Clo. *Ibs* —7B **34**
Harrison Clo. *Bran* —7G **13**
Harrow Clo. *Ash Z* —1K **25**
Harrow Dri. *Bur T* —7H **13**
Harrow Rd. *Mid* —1J **19**
Hartshill Rd. *Harts* —4D **20**
Hartshorne Rd. *W'vle* —5C **20**
Harvest Gro. *Moi* —4D **24**
Harvest Hill. *Mid* —1J **19**
Harvey Rd. *Bran* —7F **13**
Harwood Av. *Bran* —7D **12**
Haslyn Wlk. *Coal* —2J **35**
(in two parts)
Hassall Rd. *Hatt* —4C **4**
Hastings Av. *Whit* —5H **29**
Hastings Rd. *Swad* —5J **19**
Hastings, The. *Ibs* —6B **34**
Hastings Way. *Ash Z* —4B **26**
Hawfield La. *Bur T* —4C **14**
(Chu. Hill St., in two parts)
Hawfield La. *Bur T* —3E **14**
(Sales La.)
Hawkins La. *Bur T* —3J **13**
Hawkins La. Ind. Est. *Bur T* —2K **13**
(off Hawkins La.)
Hawk's Dri. *Bur T* —4E **14**
Hawksley Dri. *Rol D* —2G **9**
Hawley Clo. *Hug* —4F **35**
Hawthorn Clo. *Coal* —1F **35**
Hawthorn Clo. *Hilt* —4J **5**
Hawthorn Cres. *Bur T* —1A **18**
Hawthorn Cres. *Find* —3K **7**
Hawthorne Clo. *Mea* —4F **31**
Hawthorn Ri. *Newh* —1G **19**
Haydock Clo. *Bran* —1F **17**
Hayes Clo. *Whit* —5G **29**
Hayes, The. *Find* —4K **7**
Hayes, The. *Hatt* —3B **4**
Hay Wain La. *Mid* —1J **19**
Hay Wlk. *Bur T* —5K **13**
Hazel Clo. *Mea* —5F **31**
Hazel Clo. *Newh* —3H **19**
Hazel Gro. *Moi* —3E **24**
Hazelwood Rd. *Bur T* —2K **17**
HCM Ind. Est. *Bur T* —3K **13**
Headingley Clo. *Coal* —3H **35**
Hearthcote Rd. *Swad* —6G **19**

Hearthcote Rd. Ind. Est.—Knight's La.

Hearthcote Rd. Ind. Est. *Swad* —4H **19**
Heart of the National Forest Vis. Cen.
—5A **24**
Heatherdale. *Ibs* —7A **34**
Heather Ho. *Heat* —7G **33**
Heather La. *Norm H* —4E **32**
Heather La. *Pack* —1B **32**
Heather La. *R'stn* —5H **33**
Heather St. John Sports & Social Club.
—7G **33**
Heathfield. *Thri* —1F **29**
Heath La. *B'dby* —5G **21**
Heath La. *B'dry* —7F **21**
Heath La. *Find* —5K **7**
(in two parts)
Heath Rd. *Bur T* —1K **17**
Heath Way. *Hatt* —5B **4**
Hector Rd. *Coal* —7E **28**
Hedge Gro. *Mid* —1J **19**
Hedge Rd. *Hug* —3D **34**
Hedgerows, The. *Hilt* —3K **5**
Helmsdale Clo. *Coal* —1K **35**
Helston Clo. *L'tn* —4E **22**
Henhurst Hill. *Bur T* —3A **12**
Henhurst Ridge. *Bur T* —3B **12**
Henshurst Farm. *Bur T* —2C **12**
Henson's La. *Thri* —1E **28**
Herbert St. *Bur T* —4C **14**
Hereford Cres. *Mid* —2A **20**
Heritage Way. *Bur T* —6B **14**
Hermitage Ct. *Whit* —6F **29**
Hermitage Ind. Est., The. *Coal* —7E **28**
Hermitage Leisure Cen. —5F **29**
Hermitage Pk. Way. *Newh* —1H **19**
Hermitage Rd. *Whit* —6E **28**
Heron Dri. *W'vle* —5C **20**
Heron Way. *Coal* —2G **35**
Hervey Woods. *Whit* —4F **29**
Higgins Rd. *Newh* —2G **19**
Higgot Clo. *Bran* —7F **13**
High Bank Rd. *Bur T* —4C **14**
Highcroft Dri. *Bur T* —3E **12**
High Cross. *Cas G* —1F **23**
Highfield Clo. *Bur T* —7F **9**
Highfield Dri. *Bur T* —4A **14**
Highfield Rd. *Swad* —5J **19**
Highfields Clo. *Ash Z* —3J **25**
Highfields Dri. *L'tn* —3D **22**
Highfield St. *Coal* —3C **34**
Highfield St. *Swad* —5J **19**
Highgate. *Ash Z* —1K **25**
Highgrove Clo. *Stret* —5J **9**
Highlands Dri. *Bur T* —3B **14**
High St. *Bur T* —5J **13**
High St. *Coal* —1D **34**
High St. *Ibs* —7B **34**
High St. *L'tn* —4C **22**
High St. *Mea* —6F **31**
High St. *Newh* —2G **19**
High St. *Pack* —7B **26**
High St. *Rep* —4K **11**
High St. *Swad* —4K **19**
High St. *Tut* —7B **4**
High St. *W'vle* —5C **20**
Hilary Cres. *Whit* —6H **29**
Hillcrest. *Tut* —1A **8**
Hillcrest Av. *Bur T* —3B **14**
Hillfield La. *Stret* —5K **9**
Hill Ri. *Mea* —4F **31**
Hillsdale Rd. *Bur T* —2C **14**
Hillside. *Find* —4K **7**
Hillside. *Tut* —7A **4**
Hillside Gdns. *Chur G* —6G **19**
Hillside Rd. *L'tn & Swad* —3D **22**
Hill St. *Ash Z* —3K **25**
Hill St. *Bur T* —1K **17**
Hill St. *Doni* —1B **30**
Hill St. *Newh* —2G **19**
Hill St. *Swad* —5K **19**
Hilltop Ind. Est. *Bar H* —6K **35**
Hilton Clo. *Newh* —1H **19**
Hilton Depot. *Hilt* —5K **5**
Hilton Rd. *Egg* —6B **6**
Hilton Rd. *Etw* —1B **6**

Hobart Clo. *Bur T* —5D **14**
Hockley, The. *Whit* —4G **29**
Hogarth Rd. *Whit* —4G **29**
Holcombe Clo. *Whit* —3F **29**
Holland Clo. *Whit* —4F **29**
Hollies Clo. *Newt S* —6F **11**
Hollow Cres. *Bur T* —3D **14**
Hollow La. *Bur T* —3D **14**
Hollow, The. *Norm H* —4E **32**
Holly Bank. *Hug* —4E **34**
Hollybank Rd. *Newh* —1H **19**
Holly Clo. *Moi* —3E **24**
Holly Ct. *W'vle* —6C **20**
Holly Grn. *Bur T* —7A **14**
Holly Hayes Rd. *Whit* —5G **29**
Hollyhock Way. *Bran* —1D **16**
Holly Rd. *Mea* —5F **31**
Holly St. *Bur T* —7A **14**
Holme Clo. *Hatt* —4B **4**
Holme Farm Av. *Bur T* —7A **14**
Holmes Ct. *Hug* —4E **34**
Holts La. *Don H* —4C **34**
Holt's La. *Tut* —1A **8**
Holyoake Cres. *Heat* —7H **33**
Holyoake Dri. *Heat* —7H **33**
Holywell Av. *Ash Z* —2A **26**
Home Cft. Dri. *Pack* —7A **26**
Home Farm Cvn. Site. *Rol D* —2F **9**
Home Farm Ct. *Cas G* —7E **18**
Homestead Rd. *Thri* —1E **28**
Honeysuckle Clo. *Coal* —2H **35**
Honeysuckle Clo. *Newh* —2H **19**
Honeysuckle Vw. *Bur T* —7B **14**
Hood Ct. *Ash Z* —3A **26**
(off North St.)
Hoon La. *Hilt* —2F **5**
Hoon Ridge. *Hilt* —1F **5**
Hoon Rd. *Hatt* —5C **4**
Hopley Rd. *A'lw* —2A **12**
Hopmeadow Way. *Bur T* —6B **14**
Hornbrook Clo. *Bur T* —6G **9**
Hornbrook Rd. *Bur T* —7G **9**
Horninglow Rd. *Bur T* —1H **13**
Horninglow Rd. N. *Bur T* —7G **9**
Horninglow Rd. *Bur T* —3J **13**
Hornton Rd. *Bur T* —7G **9**
Horses La. *Mea* —6G **31**
Horton Av. *Stret* —7A **10**
Hospital La. *R'stn* —2K **33**
Hospital La. *Swan* —2C **28**
Hotel St. *Coal* —1E **34**
Hough Hill. *Swan* —6B **28**
Howden Clo. *Newh* —3H **19**
Howe Ct. *Whit* —4E **28**
Howe Rd. *Whit* —4E **28**
Hunter St. *Bur T* —2H **13**
Huntingdon Ct. *Ash Z* —3A **26**
Huntingdon Rd. *Ash Z* —4J **25**
Huntingdon Rd. *Bur T* —1J **17**
Huntingdon Way. *Mea* —5G **30**
Huntspill Rd. *Hilt* —4K **5**
Hurst Dri. *Stret* —5K **9**
Hylton Clo. *Bur T* —1F **17**

Ibstock Ind. Est. *Ibs* —6C **34**
Ibstock Rd. *Elli* —7D **34**
Ibstock Rd. *R'stn* —2A **34**
Ibstock St. *Bur T* —1G **13**
Imex Bus. Pk. *Bur T* —4G **13**
Ingleby Clo. *Swad* —5G **19**
Ingle Dri. *Ash Z* —2J **25**
Interlink Ind. Pk. *Elli* —7J **35**
Ironwalls La. *Tut* —1B **8**
Ivanhoe Dri. *Ash Z* —3J **25**
Ivanhoe Ind. Est. *Ash Z* —1K **25**
Ivanhoe Way. *Ash Z* —2B **26**
Ivanhoe Way. *Moi* —7B **24**
(in two parts)
Iveagh Clo. *Mea* —5G **31**
Ivy Clo. *Doni* —1B **30**
Ivy Clo. *Will* —1H **11**
Ivy Ct. *Etw* —1C **6**
Ivy Ct. *Hilt* —4J **5**

Ivy Gro. *Bur T* —7H **9**
Ivy Lodge Clo. *Bur T* —1K **17**

Jacklin Clo. *Bran* —2F **17**
Jackson Av. *Stret* —7A **10**
Jacksons La. *Etw* —3C **6**
Jackson St. *Coal* —1D **34**
Jacks Wlk. *Hug* —3C **34**
Jacobean Ct. *Bur T* —3D **14**
Jacques St. *Ibs* —6B **34**
James Brindley Way. *Stret* —5A **10**
James Ct. *Bur T* —5J **13**
(off James St.)
James St. *Bur T* —5H **13**
James St. *Coal* —2D **34**
James St. *Mid* —3A **20**
Jarvis Way. *Whit* —4F **29**
Jasmine Clo. *Bur T* —7B **14**
Jeffcoats La. *Swan* —3C **28**
Jennings Way. *Bur T* —4F **13**
Jenny's La. *R'stn* —2A **34**
Jephson Clo. *Bur T* —1G **17**
Jerram's La. *Bur T* —7K **13**
Jewsbury Av. *Mea* —5G **31**
Jinny Clo. *Hatt* —5B **4**
Jinny Nature Trail. —2J **9**
John Port Clo. *Etw* —1D **6**
John St. *Chur G* —6K **19**
John St. *Newh* —2F **19**
John St. *Swad* —3K **19**
John St. *Thri* —2E **28**
Jordan Av. *Stret* —4A **10**
Jubilee Ter. *Doni* —1B **30**

Kane Clo. *Coal* —1C **34**
Kay Dri. *Newh* —3G **19**
Keats Dri. *Swad* —2K **19**
Keble Clo. *Bur T* —5D **14**
Kedleston Clo. *Stret* —5H **9**
Kelso Clo. *Ash Z* —3B **26**
Kelso Clo. *Mea* —4F **31**
Kelso Ct. *Thri* —1F **29**
Kempton Rd. *Bur T* —4B **14**
Kendal Pl. *Elli* —6E **34**
Kendal Rd. *Elli* —6E **34**
Kendricks Clo. *Harts* —1D **20**
Kenilworth Av. *Stret* —7J **9**
Kenilworth Dri. *Ash Z* —4B **26**
Kenmore Cres. *Coal* —1K **35**
Kensington Rd. *Bur T* —4B **14**
Kent Rd. *Bur T* —2K **17**
Kestrel Av. *W'vle* —5C **20**
Kestrel Way. *Bur T* —4D **14**
Kilburn Way. *Newh* —3G **19**
Kiln Cft. *Etw* —1D **6**
Kiln Way. *W'vle* —5A **20**
Kilwardby St. *Ash Z* —3K **25**
Kimberley Dri. *Bur T* —4D **14**
Kinder Av. *Newh* —3H **19**
King Edward Pl. *Bur T* —4G **13**
Kingfisher Av. *W'vle* —5C **20**
Kingfisher Clo. *Whit* —7J **29**
King George Av. *Ash Z* —2K **25**
King John's Rd. *Whit* —3G **29**
King Richard's Hill. *Whit* —4G **29**
Kingsbury Clo. *Bur T* —3B **14**
Kingsdale Cft. *Stret* —6J **9**
Kingsley Rd. *Bur T* —7J **9**
Kings Rd. *Swad* —3J **19**
Kingston Rd. *Bur T* —5D **14**
King St. *Bur T* —7H **13**
King St. *Coal* —2E **34**
Kingsway. *Bran* —7G **13**
Kinver Rd. *Bur T* —3B **14**
Kirkhill Clo. *Coal* —1K **35**
Kirton Rd. *Coal* —1K **35**
Kitling Greaves La. *Bur T* —6F **9**
Knightsbridge Way. *Stret* —7J **9**
Knights Clo. *Ash Z* —2K **25**
Knights Ct. *Stret* —5K **9**
Knight's Gth. *Whit* —4G **29**
Knight's La. *Bret* —4H **15**

Knob Fields. Cas G—1F 23
Knoll, The. Mid—2J 19
Knowles Hill. Rol D—3G 9
Koppe Clo. Moi—3E 24

Laburnum Rd. Bur T—2A 18
Laburnum Rd. Newh—2H 19
Laburnum Way. Etw—2D 6
Ladle End La. Walt T—7C 16
Ladybower Clo. Swad—5H 19
Ladyfields. Mid—2A 20
Ladywell Clo. Stret—5K 9
Lagoona Pk. Over—6K 23
Lakeside Vw. Whit—6F 29
Lancaster Clo. Coal—1K 35
Lancaster Dri. Hilt—3K 5
Lancaster Dri. Tut—1A 8
Lancelot Dri. Stret—5K 9
Langer Clo. Bran—2F 17
Langton Clo. Whit—3F 29
Lansdowne Rd. Bran—1E 16
Lansdowne Rd. Swad—5H 19
Lansdowne Ter. Bur T—2J 13
Larch Rd. Newh—1G 19
Latham Clo. Bur T—5D 14
Lathkill Dale. Chur G—6G 19
Laud Clo. Ibs—7A 34
Launceston Dri. Hug—3D 34
Laurel Gro. Bur T—3K 17
Lawn Av. Etw—1D 6
Lawns Dri. Newh—1H 19
Lawns, The. Rol D—2F 9
Lawrence Clo. Elli—6D 34
Leamington Rd. Bran—1D 16
Leander Ri. Bur T—7A 14
Leawood Rd. Mid—1A 20
Leedhams Cft. Walt T—7C 16
Lees Cres. Whit—4H 29
Legion Dri. Ibs—7B 34
Leicester Rd. Ash Z & N Pack—3B 26
Leicester Rd. Cole—6H 27
Leicester Rd. Ibs—6B 34
Leicester Rd. Mea—5G 31
Leicester Rd. R'stn—2K 33
Leicester Rd. Whit—5G 29
Leicester St. Bur T—7H 13
Leith Clo. Ash Z—4C 26
Lewis Dri. Bur T—7G 9
Leyburn Clo. Chur G—7J 19
Ley Cft. Hatt—4B 4
Leyfields Farm M. A'lw—1B 12
Leys, The. Newh—3F 19
Lichfield Av. Mid—3B 20
Lichfield Rd. Bar N & Bran—7A 16
Lichfield St. Bur T—6J 13
Lilac Gro. Bur T—2A 18
Lily Bank. Thri—1D 28
Limby Hall La. Swan—3A 28
Lime Av. Mea—4F 31
Lime Ct. Stape—1K 17
Lime Gro. Bur T—2K 17
Lime Gro. Hatt—3C 4
Limes, The. R'stn—7B 28
Limestone Clo. Harts—5C 20
Lime Tree Av. Mid—1J 19
Lincoln Rd. Bur T—1J 17
Lincoln Way. Mid—3B 20
Linden Clo. Ibs—6A 34
Linden Way. Coal—7D 28
Linford Cres. Coal—1J 35
Lingfield Rd. Bran—1E 16
Links Clo. Hug—4E 34
Linton Heath. L'tn—4F 23
Linton Rd. Cas G—2F 23
Lit. Burton E. Bur T—2J 13
Lit. Burton W. Bur T—3J 13
Little Clo. Swad—3J 19
Little La. Pack—7A 26
Lit. Thorn Ind. Est. W'vle—7C 20
Locksley Clo. Ash Z—2K 25
Lockton Clo. Ash Z—2B 26
Lodge Clo. Ash Z—4K 25
Lodge Clo. Etw—1D 6
Lodge Hill. Tut—3D 8
Lohengrin Ct. Stret—4K 9
Loire Clo. Ash Z—2K 25
London Rd. Coal—1E 34
Longbow Clo. Stret—5G 9
Longbow Gro. Stret—5H 9
Longcliff Rd. Coal—2J 35
Longfellow Clo. Bur T—7J 9
Longhedge La. A'lw—6D 8
Longlands La. Find—4K 7
Longlands Rd. Mid—1A 20
Long La. Coal—7F 29
Longmead Rd. Bur T—1H 13
Long St. Bur T—1K 17
Lonsdale Rd. Bran—7G 13
Lords Clo. Coal—3H 35
Lordswell Rd. Bur T—3D 12
Loudoun Way. Ash Z—4J 25
Loughborough Rd. Cole—2K 27
Loughborough Rd. Thri—2E 28
Loughborough Rd. Whit—3F 29
Lount La. A'lw—5D 8
Lovatt Clo. Stret—4A 10
Lwr. Church St. Ash Z—3B 26
Lwr. High St. Tut—6B 4
Lwr. Moor Rd. Cole—1K 27
Lwr. Outwoods Rd. Bur T—2E 12
Lwr. Packington Rd. Ash Z—4A 26
Loweswater Gro. Ash Z—5B 26
Lucas La. Hilt—3K 5
Ludgate St. Tut—7B 4
Lullington M. Over—6H 23
Lullington Rd. Over—6H 23
Lyndham Av. Bur T—6A 14
Lyne Ct. Bur T—4F 13
Lynwood Clo. Bran—1E 16
Lynwood Rd. Bran—1D 16

Mackworth Clo. Newh—1J 19
Madras Rd. Bur T—4D 14
Main Rd. A'lw—1A 12
Main St. Alb V—7K 19
Main St. A'lw—7B 8
Main St. B'dby—1E 24
Main St. Bran—1D 16
Main St. Burna—1H 7
Main St. C'wll—2A 22
Main St. Egg—1C 10
Main St. Etw—1C 6
Main St. Harts—1E 20
Main St. Heat—7H 33
Main St. Hilt—3G 5
Main St. L'tn—3D 22
Main St. Newh—2F 19
Main St. Newt S—6F 11
Main St. Norm H—4E 32
Main St. Oakt—3D 30
Main St. Over—6J 23
Main St. R'stn—2K 33
Main St. Smis—5J 21
Main St. Stape—7K 13
Main St. Stret—5K 9
Main St. Swan—3C 28
Main St. Swep—7B 32
Main St. Tat—7A 12
Main St. Thri—1E 28
Main St. Walt T—7B 16
Mallard Clo. Mea—6E 30
Malmesbury Av. Mid—2A 20
Malthouse La. Fos—2C 4
Maltings Ind. Est. Bur T—1K 13
Maltings, The. Bur T—3K 13
(DE14)
Maltings, The. Bur T—6B 14
(DE15)
Malvern Av. Bur T—6A 14
Malvern Cres. Ash Z—1K 25
Malvern St. Bur T—6A 14
Mammoth St. Coal—1E 34
Manchester La. Harts—2E 20
Mannings Ter. Mea—6F 31
Mnr. Brook Clo. Don H—5D 34
Manor Clo. Ash Z—4B 26
Manor Clo. Bur T—2B 18
Manor Cres. Bur T—2B 18
Manor Cft. Bur T—5K 13
Manor Dri. Bur T—5K 13
Mnr. Farm M. Burna—1G 7
Manor Rd. Bur T—2B 18
Manor Rd. Don H—4C 34
Manor Rd. Heat—7G 33
Mansfields Cft. Etw—1C 6
Mantle La. Coal—7D 28
Manton Clo. Newh—2G 19
Maple Dri. Ibs—6A 34
Maple Gro. Bur T—3K 17
Maple Rd. Mid—2J 19
Maple Way. Bran—7E 12
Maplewell. Coal—1J 35
Margaret St. Coal—1D 34
Market Pl. Bur T—5K 13
Market Pl. Whit—4G 29
Market St. Ash Z—3A 26
Market St. Chur G—6J 19
Market St. Coal—7D 28
Market St. Swad—4J 19
Marlborough Ct. Coal—1D 34
Marlborough Cres. Bur T—7A 14
Marlborough Sq. Coal—1D 34
Marlborough Way. Ash Z—3K 25
Marlow Dri. Bran—7F 13
Marsden Clo. R'stn—7A 28
Marston Brook. Hilt—4K 5
Marston Clo. Moi—4D 24
Marston La. Hatt—5C 4
Marston La. Rol D & Hilt—2F 9
Marston Old La. Hatt—5C 4
Marston Ri. Bur T—7A 14
Martin Clo. Whit—3E 28
Maryland Ct. Newh—1H 19
Masefield Av. Mid—2K 19
Masefield Clo. Mea—7E 30
Masefield Cres. Bur T—1J 13
Matsyard Path. Newh—1G 19
Matthews Clo. Ash Z—3J 25
Mayfair. Newh—2F 19
Mayfield Dri. Bur T—7B 14
Mayfield Rd. Bur T—4B 14
Maypole Hill. Newh—2H 19
McAdam Clo. Stape—5C 14
McCarthy Clo. Whit—4F 29
Mead Cres. Bur T—2B 18
Meadow Ct. Bur T—4A 14
(off Meadow Rd.)
Meadow Gdns. Mea—7F 31
Meadow La. Coal—1H 35
Meadow La. Newh—3G 19
(in two parts)
Meadow La. Stret—6B 10
Meadow Rd. Bur T—4A 14
Meadowside Dri. Bur T—4K 13
Meadowside Leisure Cen.—4K 13
Meadow Vw. Hug—5D 34
Meadow Vw. Rol D—2H 9
Mdw. View Rd. Newh—3G 19
Meadow Wlk. Ibs—6B 34
Meadow Way. Newh—2H 19
Mead Wlk. Bur T—2B 18
Mear Greaves La. Bur T—3C 14
Mease Clo. Mea—6F 31
Mease, The. Hilt—4K 5
Measham Rd. Ash Z & Pack—2J 31
(in two parts)
Measham Rd. Doni—4A 30
Measham Rd. Mea—7C 30
Measham Rd. Moi & Doni—6C 24
(in two parts)
Melbourne Av. Bur T—4D 14
Melbourne Rd. Ibs—5A 34
Melbourne Rd. R'stn—4A 34
Melbourne St. Coal—1D 34
Mellor Rd. Bran—1F 17
Melrose Clo. Ash Z—3C 26
Melrose Rd. Thri—1E 28
Melville Ct. Etw—2C 6
Memorial Sq. Coal—1D 34
Mendip Clo. Ash Z—4A 26

Mercia Clo. *Hatt* —5C **4**
Mercia Dri. *Will* —1H **11**
Meredith Clo. *Bur T* —1J **13**
Mereoak La. *B'dby* —1H **21**
Merganster Way. *Coal* —2H **35**
Merlin Cres. *Bran* —7E **12**
Merlin Way. *W'vle* —5C **20**
Merrydale Rd. *Bur T* —7A **14**
Mervyn Rd. *Bur T* —4B **14**
Mewies Clo. *Walt T* —7C **16**
Mews, The. *Bur T* —1H **17**
Meynell Clo. *Bur T* —6C **14**
Meynell St. *Chur G* —7H **19**
Mickleden Grn. *Whit* —7H **29**
Mickleton Clo. *Chur G* —7J **19**
Middle Clo. *Swad* —4J **19**
Midland Grain Warehouse. Bur T —4H ***13***
(off Derby St.)
Midland Rd. *Hug & Elli* —5D **34**
Midland Rd. *Swad* —3J **19**
(in two parts)
Midway Rd. *Mid* —3K **19**
Midway Rd. *Swad* —3K **19**
Mill Bank. *Ash Z* —3A **26**
Mill Clo. *Find* —3K **7**
Mill Clo. *Mid* —3K **19**
Mill Clo. *Newt S* —6F **11**
Mill Dam. *Hug* —4E **34**
Millersdale Clo. *Bur T* —2C **14**
Millers La. *Bur T* —4H **13**
Millfield Clo. *Ash Z* —1K **25**
Millfield Cft. *Mid* —1J **19**
Millfield St. *W'vle* —6D **20**
Mill Fleam. *Hilt* —4K **5**
Mill Hill Dri. *Bur T* —3C **14**
Mill Hill La. *Bur T* —3B **14**
Mill La. *Ash Z* —3A **26**
Mill La. *Heat* —7H **33**
Mill La. *Hilt* —3H **5**
Mill La. *Swan* —2B **28**
Mill Mdw. Way. *Etw* —1C **6**
Mill Pond. *Hug* —4E **34**
Millpool Clo. *Harts* —1D **20**
Mill St. *Pack* —7A **26**
Milton Av. *Mid* —2K **19**
Milton Clo. *Mea* —7F **31**
Milton Ho. Bur T —4H ***13***
(off Cross St.)
Milton Rd. *Rep* —3K **11**
Milton St. *Bur T* —5H **13**
Milward La. *Burna* —1H **7**
Miry La. *Chur B* —1B **4**
Mitre Dri. *Rep* —4K **11**
Moat Bank. *Bret* —5E **14**
Moat St. *Chur G* —7J **19**
Moira Furnace Mus. —6B 24
Moira Rd. *Alb V & W'vle* —2A **24**
Moira Rd. *Ash Z & Shell* —3F **25**
Moira Rd. *Doni* —1C **30**
Moira Rd. *Over* —6J **23**
Monarch Clo. *Stret* —6K **9**
Mona Rd. *Bur T* —2G **13**
Money Hill. *Ash Z* —1A **26**
Monk St. *Tut* —7B **4**
Monsaldale Clo. *Bur T* —3C **14**
Monsom La. *Rep* —3K **11**
Montgomery Clo. *Hilt* —3K **5**
Montpelier Clo. *Bur T* —1F **17**
Moores Clo. *Bur T* —1G **13**
Moor Furlong. *Stret* —5A **10**
Moorlands, The. *Cole* —6J **27**
Moor La. *Cole* —3K **27**
Moor Rd. *Elli* —7F **35**
Moor St. *Bur T* —5H **13**
(in two parts)
Moor, The. *Cole* —2K **27**
Morley's Hill. *Bur T* —7G **9**
Morrisons Retail Pk. *Coal* —7E **28**
Morton Wlk. *Ash Z* —5J **25**
Mosley M., The. *Rol D* —2F **9**
Mosley St. *Bur T* —5H **13**
Mossdale. *Whit* —3F **29**
Mountbatten Clo. *Stret* —6J **9**
Mt. Pleasant Rd. *Cas G* —1F **23**
Mount Rd. *Bret* —4H **15**
Mount Rd. *Cas G* —1E **22**
Mount Rd. *Harts* —4D **20**
Mount St. Bernard Abbey. —4K 29
(Monastry)
Mount St. *Bur T* —4B **14**
Mount Wlk. *Ash Z* —3B **26**
Mulberry Way. *Hilt* —3K **5**
Muscovey Rd. *Coal* —2H **35**
Mushroom La. *Alb V* —7K **19**
Musson Dri. *Ash Z* —4K **25**

Nankirk La. *A'lw* —2A **12**
Napier St. *Bur T* —6H **13**
Narrow La. *Doni* —2B **30**
Naseby Dri. *Ash Z* —2C **26**
Nature Reserve. —2B 16
Navigation St. *Mea* —5F **31**
Needhams Wlk. *Coal* —1E **34**
Needwood Ct. *Tut* —7B **4**
Needwood St. *Bur T* —4G **13**
Nelson Fields. *Coal* —7H **29**
Nelson Pl. *Smis* —5J **21**
Nelson St. *Bur T* —4D **14**
Nelson St. *Swad* —3J **19**
Nene Clo. *Stret* —5H **9**
Nene Way. *Coal* —3H **35**
Nene Way. *Hilt* —4J **5**
Netherclose La. *Hatt* —4A **4**
Nethercroft Dri. *Pack* —7B **26**
Nether Hall La. *Harts* —1A **20**
Neville Clo. *Rol D* —3G **9**
Neville Dri. *Coal* —1H **35**
New Broadway Shop. Cen. *Coal* —1D **34**
Newbury Dri. *Stret* —5H **9**
Newby Clo. *Bur T* —6C **14**
New Clo. *Swan* —5B **28**
Newfield Rd. *Bur T* —3C **14**
Newgatefield La. *A'lw* —6C **8**
Newhall Rd. *Swad* —3J **19**
Newhay. *Stret* —5A **10**
Newlands Clo. *Chur G* —6H **19**
Newman Dri. *Bran* —7G **13**
Newport Clo. *Bur T* —7J **9**
New Rd. *Cole* —1B **28**
New Rd. *Hilt* —3K **5**
New Rd. *Newh* —2F **19**
New Rd. *W'vle* —6C **20**
New Row. *Ibs* —7B **34**
New St. *Bur T* —5J **13**
New St. *Chur G* —6J **19**
New St. *Coal* —2E **34**
New St. *Doni* —1B **30**
New St. *Hug* —3C **34**
New St. *Mea* —4E **30**
New St. *Oakt* —3D **30**
Newton Clo. *Newt S* —6F **11**
Newton La. *Newt S* —6F **11**
Newton Leys. *Bur T* —3D **14**
Newton M. *Bur T* —4A **14**
Newton Pk. Clo. *Newh* —1H **19**
Newton Rd. *Bur T & Newt S* —4A **14**
Nicklaus Clo. *Bran* —1F **17**
Nicolson Way. *Bur T* —6F **13**
Nightingale Dri. *W'vle* —5C **20**
Ninelands Mobile Home Pk. *Harts* —4D **20**
Ninth Av. *Bur T* —7D **12**
Norfolk Rd. *Bur T* —2J **17**
Normandy Rd. *Hilt* —3K **5**
Norman Keep. *Tut* —7B **4**
Norman Rd. *Tut* —7B **4**
Normanton La. *Heat* —6G **33**
Normanton La. *Norm H* —4C **32**
Normanton Rd. *Pack & Norm H* —1B **32**
Norris Hill. *Moi* —3E **24**
North Av. *Coal* —3E **34**
North Clo. *B'dby* —1E **24**
North Clo. *Will* —1J **11**
Northfield Dri. *Coal* —2H **35**
Northfield Rd. *Bur T* —7H **9**
Northfields. *Ash Z* —1A **26**
Northside Bus. Pk. *Bur T* —1K **13**
North St. *Ash Z* —3A **26**
North St. *Bur T* —4C **14**
North St. *Swad* —3J **19**
North St. *Whit* —4F **29**
Northumberland Rd. *Bur T* —1J **17**
North Wlk. *Mea* —3G **31**
Norton Rd. *Bur T* —1F **13**
Nottingham Rd. *Ash Z* —2B **26**
Nottingham Rd. *Cole* —1B **28**
Nottingham Rd. Ind. Est. *Ash Z* —2C **26**
Nursery Clo. *Swad* —2J **19**

Oadby Ri. *Bur T* —1F **13**
Oak Clo. *Cas G* —2F **23**
Oak Clo. *Coal* —2H **35**
Oak Clo. *Mea* —5F **31**
Oak Dri. *Hilt* —3J **5**
Oak Dri. *Ibs* —7A **34**
Oakham Dri. *Coal* —7K **29**
Oakham Gro. *Ash Z* —2K **25**
Oaklands Rd. *Etw* —1D **6**
Oakleigh Av. *Newh* —3G **19**
Oaks Ind. Est. *Coal* —1B **34**
Oak Sq. *Chur G* —6G **19**
Oaks Rd. *Whit* —3H **29**
Oaks Rd. *Will* —1J **11**
Oak St. *Bur T* —6G **13**
Oak St. *Chur G* —6H **19**
Oak Tree Rd. *Hug* —3C **34**
Oakwood Clo. *Hatt* —5B **4**
Occupation La. *W'vle* —7K **19**
Occupation Rd. *Alb V* —2J **23**
Octagon Cen., The. —5J 13
Octagon Cen., The. *Bur T* —5J **13**
Oldfield Dri. *Swad* —3K **19**
Oldfield La. *Hilt* —5A **6**
Old Hall Dri. *Will* —1J **11**
Old Hall Gdns. *Chur G* —6H **19**
Oldicote La. *Bret* —4F **15**
Old Nurseries, The. *R'stn* —2A **34**
Old Parks La. *Smis* —6K **21**
Old Rd. *Bran* —1D **16**
Old School Clo. *Elli* —7E **34**
Old Station Clo. *Coal* —1E **34**
Old Toll Ga. *W'vle* —5B **20**
Orchard Clo. *Hilt* —4J **5**
Orchard Clo. *R'stn* —7A **28**
Orchard Clo. *Walt T* —7C **16**
Orchard Clo. *Will* —7J **7**
Orchard Pk. *Bur T* —5J **13**
Orchard St. *Bur T* —6J **13**
Orchard St. *Ibs* —7B **34**
Orchard St. *Newh* —2G **19**
Orchard Way. *Mea* —5F **31**
Orchid Clo. *Bur T* —7B **14**
Ordish Ct. *Bur T* —5J **13**
Ordish St. *Bur T* —5H **13**
Ortons Ind. Est. *Coal* —1E **34**
Osborne Ct. *Bur T* —1G **13**
Osborne St. *Bur T* —4B **14**
Osprey Clo. *Bur T* —3E **14**
Oundle Clo. *Ash Z* —1J **25**
Outfield Rd. *Bur T* —7A **14**
Outwoods Clo. Bur T —1F ***13***
(off Lwr. Outwoods Rd.)
Outwoods La. *A'lw & Bur T* —7B **8**
(in three parts)
Outwoods La. *Cole* —1K **27**
Outwoods St. *Bur T* —2G **13**
Oval, The. *Coal* —3H **35**
Oversetts Ct. *Newh* —2G **19**
Oversetts Rd. *Newh* —3F **19**
Overton Clo. *Cole* —2K **27**
Owen's Bank. *Tut* —7A **4**
Owen St. *Coal* —1D **34**
Oxford St. *Bur T* —6G **13**
Oxford St. *Chur G* —7H **19**
Oxford St. *Coal* —1F **35**
Ox Hey Pleasure Ground. —6K 13
Oxley Rd. *Bur T* —4B **14**

Packington Nook La. *Ash Z* —5K **25**
Paddocks, The. *New H* —3G **19**

Paddock, The. *Bur T* —3C **14**
Paddock, The. *Rol D* —2F **9**
Paget Rd. *Ibs* —5B **34**
Paget St. *Bur T* —5H **13**
Palmer Clo. *Bran* —7G **13**
Paradise Clo. *Moi* —5D **24**
Pares Clo. *Whit* —4F **29**
Paris Clo. *Ash Z* —2K **25**
Parish Church of St Modwen, The.
—5K **13**
Park Av. *Chur B* —1A **4**
Park Clo. *Ash Z* —5K **25**
Park Clo. *L'tn* —3D **22**
Park Ct. *Swad* —3K **19**
Parkdale. *Ibs* —7A **34**
Parkers Clo. *B'dby* —1E **24**
Parker St. *Bur T* —2J **13**
Park La. *Tut* —7A **4**
Park Pale, The. *Tut* —1B **8**
Park Rd. *Ash Z* —2A **26**
Park Rd. *Chur G* —6J **19**
Park Rd. *Coal* —1E **34**
Park Rd. *Moi* —7B **24**
Park Rd. *Over* —3G **23**
Park Rd. *Stant* —4D **18**
Park St. *Bur T* —5H **13**
(in two parts)
Park St. *Newh* —2H **19**
Park Vw. *Whit* —4F **29**
Parkway. *Bur T* —7D **12**
Park Way. *Etw* —1D **6**
Parliament St. *Newh* —2G **19**
Parsonwood Hill. *Whit* —3F **29**
Partridge Dri. *W'vle* —5C **20**
Pastures La. *Oakt* —3E **30**
Pastures, The. *New H* —3G **19**
Pastures, The. *Rep* —4K **11**
Patch Clo. *Bur T* —1G **13**
Patrick Clo. *L'tn* —4E **22**
Paulyn Way. *Ash Z* —4J **25**
Peacroft Ct. *Hilt* —3J **5**
Peacroft La. *Hilt* —3J **5**
Peartree Av. *Newh* —1G **19**
Pear Tree Clo. *Harts* —1D **20**
Pear Tree Ct. *Etw* —1C **6**
Pear Tree Dri. *L'tn* —3D **22**
Peel St. *Bur T* —6H **13**
Pegasus Way. *Hilt* —3K **5**
Pegg's Clo. *Mea* —5F **31**
Peggs Grange. *Hug* —4E **34**
Peldar Pl. *Coal* —2J **35**
Penistone St. *Ibs* —6B **34**
Penkridge Rd. *Chur G* —7J **19**
Pennine Way. *Ash Z* —4A **26**
Pennine Way. *Swad* —5H **19**
Pensgreave Rd. *Bur T* —1G **13**
Pentland Rd. *Ash Z* —3C **26**
Percy Wood Clo. *Hilt* —3H **5**
Peregrine Clo. *Bur T* —4E **14**
Peregrine Clo. *Mea* —6F **31**
Perran Av. *Whit* —7H **29**
Pershore Dri. *Bran* —7F **13**
Perth Clo. *Bur T* —5D **14**
Peterfield Rd. *Whit* —6H **29**
Peters Ct. *Hatt* —4C **4**
Pickering Dri. *Elli* —6D **34**
Piddocks Rd. *Stant* —3C **18**
(in two parts)
Pine Clo. *Ash Z* —2C **26**
Pine Clo. *Bran* —7F **13**
Pine Clo. *Etw* —1D **6**
Pine Gro. *Newh* —2G **19**
Pines, The. *Whit* —6H **29**
Pine Wlk. *Cas G* —2F **23**
Pinewood Rd. *Bur T* —2A **18**
Pinfold Clo. *Tut* —1B **8**
Pingle Farm Rd. *Newh* —3G **19**
Pintail Ct. *Mea* —6E **30**
(off Widgeon Dri.)
Piper La. *R'stn* —1A **34**
Pipit Clo. *Mea* —6F **31**
Pisca La. *Heat* —7H **33**
Pithiviers Clo. *Ash Z* —4K **25**
Pitt La. *Cole* —3K **27**

Plover Av. *W'vle* —5C **20**
Plummer Rd. *Newh* —2G **19**
Pollard Way. *R'stn* —7B **28**
Pool St. *Chur G* —6A **20**
Poplar Av. *Mid* —2J **19**
Poplar Av. *Moi* —7B **24**
Poplar Dri. *Mea* —4F **31**
Poplars Rd. *Bur T* —7H **9**
Porter's La. *Find* —3K **7**
(in two parts)
Portland Av. *Bur T* —1F **17**
Portland St. *Etw* —1C **6**
Portway Dri. *Tut* —1B **8**
Postern Rd. *Tat* —3A **12**
Potlocks, The. *Will* —7K **7**
Potters Cft. *Swad* —3H **19**
Prentice Clo. *Moi* —5D **24**
Preston's La. *Cole* —3K **27**
Prestop Dri. *Ash Z* —2J **25**
Prestwood Pk. Dri. *Mid* —3K **19**
Pretoria Rd. *Ibs* —6C **34**
Price Ct. *Bur t* —3E **12**
(in two parts)
Primrose Dri. *Bran* —7F **13**
Primrose Mdw. *Mid* —1J **19**
Princess Av. *L'tn* —4D **22**
Princess Clo. *W'vle* —6C **20**
Princess St. *Bur T* —3H **13**
Princess St. *Cas G* —1G **23**
Princess Way. *Stret* —6K **9**
Prince St. *Coal* —2E **34**
Priorfields. *Ash Z* —4B **26**
(in two parts)
Prior Pk. Ash Z —4B **26**
(off Up. Packington Rd.)
Prior Pk. Rd. *Ash Z* —3A **26**
Priory Clo. *Newh* —2H **19**
Priory Clo. *Thri* —1D **28**
Priory Clo. *Tut* —1A **8**
Priory Lands. *Stret* —4K **9**
Provident Ct. *W'vle* —6C **20**

Queens Ct. *Bran* —7G **13**
Queens Dri. *Swad* —2J **19**
Queensland Cres. *Bur T* —5D **14**
Queens Ri. *Tut* —7B **4**
Queen's St. *Mea* —5F **31**
Queen St. *Bur T* —6H **13**
Queen St. *Chur G* —7H **19**
Queen St. *Coal* —2E **34**
Queensway Houses. *Mea* —5F **31**
Quelch Clo. *Hug* —4E **34**
Quorn Clo. *Bur T* —6B **14**
Quorn Cres. *Coal* —2J **35**

Radley Clo. *Ash Z* —1K **25**
Raglan Clo. *Stret* —6J **9**
Rambler Clo. *Newh* —3H **19**
Ramscliff Av. *Doni* —2C **30**
Randall Dri. *Swad* —4J **19**
Rangemore St. *Bur T* —4G **13**
Range Rd. *Ash Z* —3B **26**
Ratcliff Clo. *Ash Z* —3K **25**
Ratcliffe Av. *Bran* —7G **13**
Raven Clo. *Mea* —6E **30**
Ravenslea. *R'stn* —2K **33**
Ravenstone Rd. *Coal* —7B **28**
Ravenstone Rd. *Heat* —7H **33**
Ravenstone Rd. *Ibs* —7K **33**
Ravens Way. *Bur T* —3G **13**
Rawdon Rd. *Moi* —4B **24**
Rawdon Side. *Swad* —4A **20**
Red Burrow La. *Norm H & Pack* —2B **32**
Red Hill La. *Swan & Thri* —4C **28**
Redhill La. *Tut* —1A **8**
Redhill Lodge Rd. *Newh* —1H **19**
Redlands Est. *Ibs* —5C **34**
Redmoor Clo. *Bur T* —4C **14**
Redwood Dri. *Bur T* —7B **14**
Reform Rd. *Ibs* —7B **34**
Regan Rd. *Moi* —5D **24**
Regency Way. *Stret* —6J **9**

Regent Ct. *Chur G* —6J **19**
Regents Pk. Rd. *Bran* —1F **17**
Regent St. *Chur G* —7H **19**
Regs Way. *Bar H* —4J **35**
Rempstone Rd. *Cole & Grif* —2H **27**
Rennes Clo. *Ash Z* —3K **25**
Renshaw Dri. *Newh* —3G **19**
Repton Clo. *Ash Z* —1K **25**
Repton Rd. *Bret* —1B **20**
Repton Rd. *Mea* —5D **30**
Repton Rd. *Newt S* —6F **11**
Repton Rd. *Will* —1H **11**
Reservoir Hill. *Alb V & Moi* —2A **24**
Reservoir Rd. *Bur T* —3E **12**
Resolution Rd. *Ash Z* —2C **26**
Rest Haven. *Swad* —3J **19**
Richmond Ct. *Rep* —4K **11**
Richmond Rd. *Don H & Ibs* —5D **34**
Richmond St. *Bur T* —3H **13**
Ricknild St. *Bran* —7E **12**
Ridgeway Rd. *Bur T* —7B **14**
Ridgway Rd. *Ash Z* —4K **25**
Rink Dri. *Swad* —5J **19**
Risborrow Clo. *Etw* —1F **7**
Rise, The. *Newh* —3G **19**
River Bank, The. *Will* —1J **11**
Riverdale Clo. *Bur T* —2C **14**
River Sence Way. *Hug* —4E **34**
Riverside. *Walt T* —7B **16**
Riverside Cvn. Pk. *Bur T* —1A **14**
Riverside Cen., The. *Bur T* —4K **13**
Riverside Ct. *Mea* —6D **30**
Riverside Dri. *Bran* —2E **16**
Robian Way. *Swad* —4H **19**
Robin Hood Pl. *Chur G* —6K **19**
Robin Rd. *Coal* —2G **35**
Robinson Rd. *Newh* —2G **19**
Robinson Rd. *Whit* —4E **28**
Rochdale Cres. *Coal* —1K **35**
Rockcliffe Clo. *Chur G* —7J **19**
Rockingham Clo. *Ash Z* —4B **26**
Rockland Ri. *Whit* —3G **29**
Roedean Clo. *Ash Z* —2K **25**
Rolleston La. *Tut* —1C **8**
Rolleston Rd. *Rol D* —5G **9**
Romans Cres. *Coal* —1K **35**
Rookery, The. *Heat* —7G **33**
Rope Wlk., The. *Bur T* —6H **13**
Rose Av. *Stret* —4B **10**
Rose Cottage Clo. *Bur T* —6H **13**
Rose Cottage Gdns. *Bur T* —6J **13**
Rosecroft Gdns. *Swad* —6J **19**
Rosedale. *Whit* —2F **29**
Rose Hill. *W'vle* —5B **20**
Roseleigh Cres. *Newh* —2G **19**
Rosemary Cres. *Whit* —5H **29**
Rosemount Rd. *Bur T* —5A **14**
Rose Tree La. *Newh* —1G **19**
Rose Valley. *Newh* —3H **19**
Rosewood Rd. *Bur T* —2A **18**
Rosliston Rd. *Drake & Bur T* —2K **17**
Rosliston Rd. *Walt T* —7C **16**
Rosliston Rd. S. *C'wll* —7H **17**
Rossall Dri. *Ash Z* —2K **25**
Rosslyn Rd. *Whit* —5G **29**
Rotherwood Dri. *Ash Z* —2A **26**
Rouen Way. *Ash Z* —3K **25**
Rowan Av. *Coal* —2J **35**
Rowan Clo. *Mea* —4F **31**
Rowan Clo. *Moi* —3E **24**
Rowan Dri. *Ibs* —7A **34**
Rowbury Dri. *Bur T* —5C **14**
Rowena Dri. *Ash Z* —2A **26**
Rowlands, The. *Cole* —4K **27**
Rowley Clo. *Swad* —3A **20**
Rowley Ct. *Swad* —4J **19**
Rowton St. *Bur T* —7G **9**
Rugby Clo. *Ash Z* —1K **25**
Rugby Clo. *Bur T* —7H **13**
Rumsey Clo. *Thri* —1D **28**
Rushby Rd. *Elli* —7F **35**
Rushton Clo. *Tut* —7B **4**
Ruskin Pl. *Bur T* —1J **13**
Russell St. *Bur T* —5J **13**

Russell St. *Swad* —5K **19**
Russet Clo. *Hatt* —4B **4**
Ruston Clo. *Swad* —4J **19**
Rutland Clo. *Bur T* —2J **17**
Rydal Gdns. *Ash Z* —5B **26**
Ryder Clo. *Swad* —6E **18**
Ryeflatts La. *Hatt* —4C **4**
Ryknild Trad. Est. *Bur T* —1K **13**

Sage Dri. *W'vle* —4C **20**
St Aidan's Clo. *Bur T* —7H **9**
St Albans Ct. *Bur T* —7H **9**
St Andrew's Clo. *Thri* —1E **28**
St Andrew's Dri. *Bur T* —6H **9**
St Bernard's Rd. *Whit* —5G **29**
St Catherine's Rd. *Newh* —3G **19**
St Chad's Clo. *Bur T* —6H **9**
St Chad's Rd. *Bur T* —7H **9**
St Christophers Pk. Homes. *Elli* —7F **35**
St Christopher's Rd. *Elli* —7F **35**
St Clares Ct. *Coal* —2F **35**
St David's Ct. *Coal* —1K **35**
St David's Cres. *Coal* —7K **29**
St David's Dri. *Bur T* —6H **9**
St Denys' Cres. *Ibs* —7A **34**
St Edwards Ct. *Newh* —3G **19**
St Faiths Rd. *Coal* —3D **34**
St Francis Clo. *Bur T* —6J **9**
St George's Hill. *Swan* —2B **28**
St Georges Rd. *Bur T* —2E **12**
St Ives. *Coal* —2J **35**
St James Clo. *Will* —1K **11**
St John's Clo. *Heat* —7G **33**
St John's Clo. *Hug* —4E **34**
St John's Ct. *Bur T* —7H **9**
St John's Dri. *Newh* —3F **19**
St John's Rd. *Bur T* —7H **9**
St Jude's Way. *Bur T* —6H **9**
St Luke's Rd. *Bur T* —6H **9**
St Margarets. *Bur T* —2E **12**
St Marks Rd. *Bur T* —6H **9**
St Martin's Clo. *Bur T* —6G **9**
St Mary's Av. *Don H* —4C **34**
St Mary's Clo. *Newt S* —6F **11**
St Mary's Ct. *Don H* —4C **34**
St Mary's Dri. *Bur T* —6H **9**
St Mary's Dri. *Stret* —4A **10**
St Mary's La. *Coal* —3A **34**
St Matthew's St. *Bur T* —7H **13**
St Michael's Clo. *Ash Z* —4B **26**
St Michael's Clo. *Will* —1J **11**
St Michaels' Dri. *R'stn* —2K **33**
St Michaels Rd. *Bur T* —6J **9**
St Modwen's Clo. *Bur T* —7H **9**
St Modwen's Wlk. *Bur T* —5J **13**
St Patricks Rd. *Bur T* —6H **9**
St Paul's Ct. *Bur T* —4G **13**
St Paul's Sq. *Bur T* —3G **13**
St Paul's St. W. *Bur T* —3G **13**
St Peter's Bri. *Bur T* —6J **13**
St Peter's Ct. *Bur T* —6A **14**
St Peters Retail Pk. *Bur T* —6J **13**
St Peter's St. *Bur T* —6A **14**
St Saviours Rd. *Coal* —2D **34**
St Stephens Ct. *Bur T* —7H **9**
St Stephen's St. *W'vle* —5C **20**
St Vincents Clo. *Coal* —3D **34**
Sales La. *Bur T* —4D **14**
Salisbury Av. *Bur T* —4D **14**
Salisbury Dri. *Mid* —2B **20**
Saltersford Valley Picnic Area. —2D **30**
Samson Rd. *Coal* —7E **28**
Sandalwood Rd. *Bur T* —2K **17**
Sandcliffe Pk. *Mid* —1A **20**
Sandcliffe Rd. *Mid* —2A **20**
Sandcroft Clo. *Mid* —3A **20**
Sandford Brook. *Hilt* —4K **5**
Sandhills Clo. *Mea* —6F **31**
Sandhole La. *Whit* —1K **29**
Sandlands, The. *Mid* —2A **20**
Sandown Clo. *Bran* —1F **17**
Sandringham Av. *Bur T* —6B **14**
Sandringham Rd. *Coal* —2G **35**

Sandtop Clo. *B'dby* —1E **24**
Sandtop La. *B'dby* —1E **24**
Sandy La. *C'wll* —2A **22**
Sandypits La. *Etw* —1D **6**
(in two parts)
Sawpit La. *Hatt* —3B **4**
Saxon Clo. *Bur T* —1A **18**
Saxon Gro. *Will* —1H **11**
Saxon St. *Bur T* —1A **18**
Saxon Way. *Ash Z* —2K **25**
Scalpcliffe Clo. *Bur T* —5A **14**
Scalpcliffe Rd. *Bur T* —4A **14**
School Clo. *Alb V* —7K **19**
School La. *Cole* —1B **28**
School La. *Norm H* —4E **32**
School La. *Rol D* —2G **9**
School La. *Whit* —3E **28**
School M. *Hatt* —4C **4**
School St. *Chur G* —6J **19**
School St. *Moi* —7C **24**
School St. *Oakt* —3D **30**
Scotlands Dri. *Coal* —2E **34**
Scotlands Ind. Est. *Coal* —2F **35**
Scotlands Rd. *Coal* —2E **34**
Scott Clo. *Ash Z* —2K **25**
Scotts, The. *Cas G* —1E **22**
Scropton Old Rd. *Hatt* —5B **4**
Scropton Rd. *Hatt* —4A **4**
Seagrave Clo. *Coal* —1K **35**
Sealey Clo. *Will* —1K **11**
Seals Rd. *Doni* —1B **30**
Seal Vw. *L'tn* —3D **22**
Sealwood La. *L'tn* —4E **22**
Second Av. *Bur T* —6D **12**
Sedgefield Rd. *Bran* —1E **16**
Sefton Clo. *Bur T* —6C **14**
Seventh Av. *Bur T* —6E **12**
Severn Clo. *Stret* —5H **9**
Severn Dri. *Bur T* —4K **13**
Seymour Av. *Bur T* —7K **9**
Shackland Dri. *Mea* —5G **31**
Shady Gro. *Hilt* —3H **5**
Shaef Clo. *Hilt* —3K **5**
Shakespeare Clo. *Swad* —2K **19**
Shakespeare Rd. *Bur T* —1H **13**
Shannon App. *Bur T* —5J **13**
Sharpley Av. *Coal* —7H **29**
Sharpswood Mnr. *W'vle* —4B **20**
Sheffield St. *Bur T* —6H **13**
Shellbrook Clo. *Shell* —3H **25**
Shelley Av. *Bur T* —1J **13**
Shelley Clo. *Bur T* —1J **13**
Shelley Clo. *Mea* —7F **31**
Shelley Rd. *Swad* —3K **19**
Sherbourne Dri. *Ash Z* —2K **25**
Sherbourne Dri. *Bur T* —1F **17**
Sherman Clo. *Hilt* —3K **5**
Sherwood Clo. *Elli* —6E **34**
Shieling, The. *Hatt* —3B **4**
Shipley Clo. *Bran* —7G **13**
Shobnall Clo. *Bur T* —3G **13**
Shobnall Ct. *Bur T* —4G **13**
Shobnall Fields Recreation Ground.
—3F **13**
Shobnall Leisure Complex. —3F **13**
Shobnall Rd. *Bur T* —3E **12**
Shobnall St. *Bur T* —4G **13**
Shortheath. *Over* —6K **23**
Shortheath Rd. *Moi* —6A **24**
Short St. *Bur T* —1K **17**
Shotwoodhill La. *Rol D* —1E **8**
Shrewsbury Rd. *Stret* —4A **10**
Shrewsbury Wlk. *Thri* —1E **28**
Shrubbery, The. *W'vle* —6D **20**
Siddalls St. *Bur T* —4C **14**
Sidings Ind. Est. *Bur T* —3K **13**
Silk Mill La. *Tut* —7B **4**
Silkstone Clo. *Chur G* —7J **19**
Silverhill Clo. *Stret* —5H **9**
Silver St. *Oakt* —4D **30**
Silver St. *Whit* —5F **29**
Sinai Clo. *Bur T* —3E **12**
Siskin Dri. *Mea* —6E **30**
Sixth Av. *Bur T* —6E **12**

Ski Centre. —5K **19**
Skinner's La. *Whit* —4G **29**
Skylark Clo. *Mea* —6E **30**
Slackey La. *Moi* —5K **23**
Slack La. *Harts* —2E **20**
Slade Clo. *Etw* —1D **6**
Slaybarns Way. *Ibs* —6B **34**
Small Thorn Pl. *W'vle* —6C **20**
Smedley Clo. *Ash Z* —4J **25**
Smedley Ct. *Egg* —1C **10**
Smisby Ct. *Ash Z* —3A **26**
Smisby Rd. *Ash Z* —7K **21**
Smith Ct. *Whit* —4E **28**
Smith Cres. *Coal* —1K **35**
Smithy La. *Ash Z* —2D **26**
Snibston Discovery Park. —1C **34**
Snibston Dri. *Coal* —7B **28**
Snipe Clo. *Coal* —1D **34**
Snipe Clo. *Hug* —3C **34**
Solney Clo. *Swad* —5G **19**
Somerset Rd. *Bur T* —2J **17**
Sorrel Dri. *W'vle* —4B **20**
S. Broadway St. *Bur T* —7H **13**
South Clo. *B'dby* —1E **24**
South Dri. *Newh* —2G **19**
South Hill. *Rol D* —2J **9**
South La. *Bar H* —6K **35**
South Leicester Ind. Est. *Elli* —6F **35**
S. Oak St. *Bur T* —7G **13**
South St. *Ash Z* —3A **26**
South St. *Elli* —6E **34**
South St. *W'vle* —6C **20**
S. Uxbridge St. *Bur T* —7G **13**
Sovereign Dri. *Bran* —7G **13**
Speedwell Clo. *Coal* —1F **35**
Speedwell Clo. *W'vle* —4C **20**
Spencer Clo. *Stret* —5J **9**
Spinney Clo. *Ash Z* —4A **26**
(off Stuart Way)
Spinney Lodge. *Rep* —4K **11**
Spinney Rd. *Bran* —7E **12**
Spinney, The. *Hug* —4D **34**
Spring Clo. *Cas G* —7H **19**
Spring Cottage Rd. *Over* —5K **23**
Springfarm Rd. *Bur T* —6B **14**
Springfield. *Thri* —1F **29**
Springfield Clo. *Ibs* —7B **34**
Springfield Clo. *Mid* —2J **19**
Springfield Rd. *Etw* —2C **6**
Springfield Rd. *Swad & Mid* —3J **19**
Springfield Vs. *Bur T* —6B **14**
Springhill. *Harts* —1D **20**
Spring La. *Pack* —7B **26**
Spring La. *Swan & Coal* —5C **28**
Spring Rd. *Ibs* —6C **34**
Spring St. *Cas G* —1H **23**
Spring Ter. Rd. *Bur T* —6A **14**
Springwood Farm Rd. *Mid* —1J **19**
Square, The. *Bret* —4J **15**
Square, The. *Oakt* —3D **30**
Squirrel Wlk. *Over* —6J **23**
Stafford St. *Bur T* —2J **13**
Stainsdale Grn. *Whit* —7H **29**
Staley Av. *Ash Z* —5J **25**
Stamford Dri. *Coal* —7K **29**
Stamps Clo. *Bur T* —4D **14**
Standard Hill. *Coal* —3C **34**
Standing Butts Clo. *Walt T* —7C **16**
Stanhope Glade. *Bret* —7H **15**
Stanhope Grn. *Bret* —6F **15**
Stanhope Rd. *Swad* —5J **19**
Stanhope St. *Bur T* —4C **14**
Stanleigh Rd. *Over* —5J **23**
Stanley Clo. *W'vle* —5C **20**
Stanley St. *Bur T* —5H **13**
Stanley St. *Swad* —4K **19**
Stanton Rd. *Bur T* —7A **14**
Stapenhill Rd. *Bur T* —6A **14**
Station Dri. *Moi* —5C **24**
Station Hill. *Swan* —5B **28**
Station La. *Walt T* —7B **16**
Station M. *Ash Z* —4A **26**
Station Rd. *Ash Z* —4A **26**
Station Rd. *Bar N* —7A **16**

Station Rd. *Hatt & Fos* —5B **4**
Station Rd. *Hug* —5D **34**
Station Rd. *Ibs* —7A **34**
Station Rd. *Rol D* —2G **9**
Station Rd. *W'vle* —6C **20**
Station St. *Bur T* —4H **13**
Station St. *Cas G* —1G **23**
Station Wlk. *Stret* —5K **9**
Stenson Rd. *Coal* —7E **28**
Stephenson Ind. Est. *Coal* —7B **28**
Stephenson Way. *Coal* —6B **28**
Stephens Rd. *Bran* —7G **13**
Stewart Clo. *Bran* —2F **17**
Stinson Way. *Whit* —4E **28**
Stirling Ri. *Stret* —6J **9**
Stonehaven Clo. *Coal* —1K **35**
Stone Row. *Coal* —7E **28**
Stoneydale Clo. *Newh* —3G **19**
Stoney La. *Cole* —2K **27**
Stour Clo. *Hilt* —5K **5**
Stowe Clo. *Ash Z* —2K **25**
Strathmore Clo. *Coal* —2K **35**
Strawberry La. *B'dby* —1E **24**
Stretton Dri. *Coal* —1K **35**
Stretton Vw. *Oakt* —4C **30**
Stuart Way. *Ash Z* —4A **26**
Suffolk Rd. *Bur T* —2J **17**
Sunningdale Clo. *Stret* —5H **9**
Sunnyside. *Ibs* —7A **34**
Sunnyside. *Newh* —1F **19**
Sun St. *W'vle* —6C **20**
Sussex Rd. *Bur T* —2J **17**
Sutton La. *Etw* —1C **6**
Sutton La. *Hatt* —3D **4**
Sutton La. *Hilt* —1H **5**
Swadlincote La. *Cas G* —7E **18**
Swadlincote Rd. *W'vle* —5A **20**
Swainspark Ind. Est. *Over* —2J **23**
Swallow Dale. *Thri* —2E **28**
Swallow Rd. *W'vle* —5C **20**
*Swan Ct. Bur T —5J **13***
(off Orchard St.)
Swan Ct. *Bur T* —4A **14**
(DE15)
Swannington Heritage Trail. —5B 28
Swannington Rd. *Coal* —1A **34**
Swannington St. *Bur T* —1G **13**
Swannington Tower. —2A 28
Swannymote Rd. *Whit* —3H **29**
Swan Wlk. *Bur T* —5J **13**
Swan Way. *Coal* —2G **35**
Sweethill. *Moi* —4D **24**
Swepstone Rd. *Heat* —7D **32**
Swepstone Rd. *Mea* —5H **31**
Swift Clo. *W'vle* —5C **20**
Swifts Clo. *Ibs* —6B **34**
Swimming Pool. —2E 8
Swinfen Clo. *Elli* —6D **34**
Swithland Rd. *Coal* —2K **35**
Sycamore Av. *Newh* —1H **19**
Sycamore Clo. *Bur T* —3K **17**
Sycamore Clo. *Etw* —1D **6**
Sycamore Clo. *Ibs* —7A **34**
Sycamore Clo. *L'tn* —4E **22**
Sycamore Ct. *Will* —1J **11**
Sycamore Dri. *Ash Z* —2C **26**
Sycamore Dri. *Moi* —3E **24**
Sycamore Rd. *Bur T* —3K **17**
Sycamore Rd. *Coal* —2H **35**
Sydney St. *Bur T* —1J **13**

Tailby Dri. *Will* —1H **11**
Talbot La. *Swan & Whit* —2C **28**
Talbot Pl. *Doni* —2B **30**
Talbot St. *Chur G* —6H **19**
Talbot St. *Whit* —3E **28**
Tamworth Rd. *Ash Z* —5K **25**
Tamworth Rd. *Mea* —7B **30**
Tandy Av. *Moi* —4E **24**
Tanner's La. *Rep* —3J **11**
Tan Yd. *Swan* —4C **28**
Tara St. *Bar H* —6J **35**
Tarquin Clo. *Stret* —4K **9**
Tatenhill La. *Bran* —1C **16**
Tatenhill La. *Tat* —7A **12**
Tavistock Clo. *Hug* —4D **34**
Taylor Clo. *Moi* —5D **24**
Teal Clo. *Coal* —2G **35**
Tean Clo. *Bur T* —6B **14**
Telmah Clo. *Stret* —5J **9**
Templars Way. *Whit* —4G **29**
Temple Clo. *Bur T* —7J **9**
Temple Hill. *Whit* —3G **29**
Tennyson Av. *Swad* —2K **19**
Tennyson Clo. *Mea* —6E **30**
Tennyson Rd. *Bur T* —7J **9**
Tenth Av. *Bur T* —7D **12**
Tern Av. *W'vle* —5C **20**
Third Av. *Bur T* —6E **12**
Thirlmere. *Coal* —1K **35**
Thirlmere Gdns. *Ash Z* —5B **26**
Thomas Rd. *Whit* —4E **28**
Thornborough Rd. *Coal* —7D **28**
Thorndale. *Ibs* —7A **34**
Thornescroft Gdns. *Bur T* —1G **17**
Thornewill Dri. *Stret* —5A **10**
Thornham Gro. *Ibs* —6B **34**
Thornley St. *Bur T* —1H **13**
Thorn St. *W'vle* —6C **20**
Thorn St. M. *W'vle* —6C **20**
Thornton Clo. *Coal* —1K **35**
Thorntop Clo. *B'dby* —1E **24**
Thorntree Clo. *R'stn* —7A **28**
Thorn Tree La. *Bret* —7G **15**
(in two parts)
Thorpe Clo. *Stape* —6D **14**
Thorpe Downs Rd. *Chur G* —7J **19**
Thrift Rd. *Bran* —7G **13**
Thrushton Clo. *Find* —4K **7**
Ticknall Rd. *Harts* —1E **20**
Tideswell Grn. *Newh* —3F **19**
Tinsell Brook. *Hilt* —4J **5**
Tintagel Clo. *Stret* —4K **9**
Tithe Clo. *Thri* —1D **28**
Tiverton Av. *Whit* —7H **29**
Top Mdw. *Mid* —1J **19**
Torrance Clo. *Bran* —2F **17**
Torrington Av. *Whit* —7H **29**
Totnes Clo. *Hug* —4D **34**
Totnes Clo. *Stret* —7J **9**
Toulmin Dri. *Swad* —4J **19**
Toulouse Pl. *Ash Z* —3K **25**
Tourist Info. Cen. —3A 26
(Ashby-de-la-Zouch)
Tourist Info. Cen. —5J 13
(Burton upon Trent)
Tourist Info. Cen. —1C 34
(Coalville)
Tournament Way. *Ash Z* —1K **25**
Tower Gdns. *Ash Z* —3K **25**
Tower Rd. *Bur T* —5C **14**
Tower Rd. *Harts* —2D **20**
Townsend La. *Don H* —5C **34**
Trent Av. *Will* —1J **11**
Trent Bri. *Bur T* —4K **13**
Trent Bri. *Coal* —3H **35**
Trent Clo. *Will* —1K **11**
Trent Ind. Est. *Bur T* —3K **13**
Trent La. *Newt S* —6F **11**
Trent St. *Bur T* —6H **13**
*Trent Ter. Bur T —4K **13***
(off Bridge St.)
Tressall Rd. *Whit* —6H **29**
Trevelyan Clo. *Bur T* —5D **14**
Trinity Clo. *Ash Z* —3K **25**
Trinity Ct. *Ash Z* —3A **26**
Trinity Gro. *Swad* —5J **19**
Tristram Gro. *Stret* —4K **9**
Troon Clo. *Stret* —5H **9**
Truro Clo. *Mid* —3B **20**
Trusley Clo. *Bran* —1G **17**
Tudor Clo. *Ash Z* —4A **26**
Tudor Hollow. *Stret* —6J **9**
Tudorhouse Clo. *Newh* —1H **19**
Tudor Way. *Newh* —2H **19**
Turnbury Clo. *Bran* —1F **17**
Turolough Rd. *Whit* —2F **29**
Tutbury Castle. —6A 4
(remains of)
Tutbury Clo. *Ash Z* —4B **26**
Tutbury Crystal. —7B 4
Tutbury Mus. —7B 4
Tutbury Rd. *Rol D & Bur T* —4E **8**
Twayblade. *Bran* —7G **13**
Tweentown. *Don H* —5D **34**
Twentylands. *Rol D* —2J **9**
Twyford Clo. *Coal* —1K **35**
Twyford Clo. *Swad* —6G **19**
Twyford Clo. *Will* —1K **11**
Twyford Rd. *Will* —7J **7**
Tynefield Ct. & M. *Etw* —3C **6**
Tythe, The. *Mid* —1J **19**

Uldale Gro. *Chur G* —7K **19**
Ulleswater Cres. *Ash Z* —5B **26**
Underhill Wlk. *Bur T* —5J **13**
Union Pas. *Ash Z* —3A **26**
Union Rd. *Swad* —3J **19**
Union St. *Bur T* —5J **13**
Unity Clo. *Chur G* —7H **19**
Uplands Rd. *Mea* —6F **31**
Up. Church St. *Ash Z* —3B **26**
Up. Packington Rd. *Ash Z* —5B **26**
Uppingham Dri. *Ash Z* —2K **25**
Utah Clo. *Hilt* —3K **5**
Uttoxeter Rd. *Hatt & Fos* —2A **4**
Uxbridge Pleasure Ground. —6G 13
Uxbridge St. *Bur T* —6H **13**

Vale Rd. *Harts* —5D **20**
Vale Rd. *Mid* —2J **19**
Valley Ri. *Swad* —3H **19**
Valley Rd. *Ibs* —7A **34**
Valley Rd. *Over* —6H **23**
Valley Way. *Whit* —4E **28**
Vancouver Dri. *Bur T* —4D **14**
Vaughan St. *Coal* —2D **34**
Verdon Cres. *Coal* —1J **35**
Vere Clo. *Will* —1J **11**
Vernon Ter. *Bur T* —3H **13**
Vicarage Clo. *B'dby* —7F **21**
Vicarage Clo. *Bur T* —3C **14**
*Vicarage Fld. Bur T —6A **14***
(off Stapenhill Rd.)
Vicarage Gdns. *Swad* —4K **19**
Vicarage La. *Pack* —7A **26**
Vicarage Rd. *Swad* —4K **19**
Vicarage Rd. *W'vle* —6B **20**
Vicarage St. *Whit* —4G **29**
Victoria Clo. *Whit* —4E **28**
Victoria Cres. *Bur T* —2H **13**
Victoria Rd. *Bur T* —3H **13**
Victoria Rd. *Coal* —1E **34**
Victoria Rd. *Ibs* —5B **34**
Victoria St. *Bur T* —3H **13**
Victoria Vs. *Newh* —2H **19**
Viking Bus. Cen. *W'vle* —5C **20**
Violet La. *Bur T* —7A **14**
Violet Way. *Bur T* —7A **14**
Vulcan Ct. *Coal* —7E **28**
Vulcan Way. *Coal* —7E **28**

Waggon La. *Bret* —6G **15**
Wainwright Rd. *Hug* —4E **34**
Wakefield Av. *Tut* —7A **4**
Wakefield Dri. *Whit* —4F **29**
Wakelyn Clo. *Hilt* —3H **5**
Walford Rd. *Rol D* —2J **9**
Walker Rd. *Bar H* —6K **35**
Walker St. *Bur T* —6G **13**
Wall Rd. *Bran* —7F **13**
Walnut Clo. *Newh* —3H **19**
Walton Clo. *Swad* —6H **19**
Walton Rd. *Drake* —3H **17**
Warren Clo. *Stret* —5K **9**
Warren Dri. *L'tn* —3C **22**
Warren Hills Rd. *Coal* —6K **29**
Warren La. *Bran* —1E **16**

Every possible care has been taken to ensure that the information given in this publication is accurate and whilst the publishers would be grateful to learn of any errors, they regret they cannot accept any responsibility for loss thereby caused.

The representation on the maps of a road, track or footpath is no evidence of the existence of a right of way.

The Grid on this map is the National Grid taken from Ordnance Survey mapping with the permission of the Controller of Her Majesty's Stationery Office.

Copyright of Geographers' A-Z Map Co. Ltd.

No reproduction by any method whatsoever of any part of this publication is permitted without the prior consent of the copyright owners.